Cette Bible appartient à :

Elle a été reçue à l'occasion de :

---

de la part de :

---

date :

MA BIBLE

CENT HISTOIRES POUR ENFANTS

par Jennifer Rees Larcombe • Illustrations de Alan Parry

Les Editions de la Ligue pour la Lecture de la Bible (L.L.B.) souhaitent encourager et stimuler la réflexion spirituelle chrétienne. Elles publient des ouvrages pour tous les âges, et tiennent gratuitement à votre disposition leur catalogue général :

Editions L.L.B.
51 Boulevard Gustave André - B.P. 728
26007 VALENCE Cedex
France

Egalement disponible en Belgique, au Canada et en Suisse :
Editions L.L.B. Avenue Giele, 23 - B.1090 BRUXELLES
Editions L.L.B. 1701, rue Belleville, VILLE LEMOYNE J4P 3M2 QUEBEC
Editions L.L.B. Chemin de Bérée, 70 - CH. 1010 LAUSANNE

ISBN : 2-85031-321-1

Traduction : Claire Riquet
Adaptation : Eric Denimal
Composition : Filigrane-Vauvert-France
Impression : Hong-Kong

INTRODUCTION

Ce projet vit le jour lorsque nos six enfants furent fatigués d'entendre leurs inévitables *« histoires bibliques préférées »*, et voulurent savoir ce qu'était réellement la Bible. Lorsque j'ai commençé à leur raconter à l'heure du coucher, de façon suivie toute la Bible, j'ai découvert avec eux que celle-ci était *simplement* la **révélation du plan de Dieu** pour notre bien-être et notre bonheur (Ephésiens 1. 9-10). Il s'agit bien là du projet le plus extraordinaire qui soit, puisqu'il est divin.

Bien que nous abordions chaque soir une seule histoire, nous avons reconnu des thèmes, des types de personnages et des lieux qui revenaient fréquemment. Ceci, je crois, a donné à mes enfants le sens de la chronologie et de la progression. Cependant, cela a produit bien davantage ; nous avons vu comment Dieu s'est révélé lui-même à l'humanité, d'abord par le choix d'un homme, puis d'une famille, d'une nation, et finalement par l'envoi de Son Fils. Nous avons mesuré également, combien les puissances adverses ont souvent perturbé ce grand plan, et comment Dieu a constamment ramené les gens à lui par les juges, les prophètes et ensuite par Jésus-Christ lui-même.

Le livre se compose de cent histoires courtes, chacune formant un tout en soi ; soixante pour l'Ancien Testament et quarante pour le Nouveau. Ces histoires, adaptées mais aussi proches de la réalité que possible, ont aidé notre famille à connaître Dieu d'une manière plus réelle, voire personnelle. Nous espérons que vous les apprécierez et les aimerez autant que nous l'avons fait.

SOMMAIRE

ANCIEN TESTAMENT

NOUVEAU TESTAMENT

Genèse 1, 2, 3 ; Luc 10 : 18

LE DANGEREUX SERPENT

DIEU VOULAIT DES AMIS ; c'est pourquoi il créa les hommes. Bien sûr il devait en premier lieu leur préparer un endroit où vivre ; les hommes ne peuvent traîner ici et là dans le néant. Alors **Dieu créa le monde et tout ce qu'il contient.**

Les humains ont besoin de lumière, c'est pourquoi il fit le soleil et la lune. Il forma les fleuves et les lacs pour qu'ils aient de l'eau, et sachant qu'ils auraient besoin de nourriture, il leur prépara les plantes, les poissons, les oiseaux et toutes les espèces d'animaux.

Dieu fut content lorsqu'il regarda tout cela. Il se dit : *Maintenant, je suis prêt à faire l'homme !* Alors il aménagea encore un magnifique jardin pour qu'ils puissent y vivre.

Dieu appela le premier homme Adam et lui donna une femme, Eve ; chaque soir il venait leur parler dans le jardin. Ah, comme ils étaient heureux ensemble ! Dieu appréciait vraiment cette compagnie.

Il n'y avait alors rien d'horrible dans le monde : aucune maladie, aucune douleur, aucun microbe. Rien de désagréable. Adam et Eve ne pouvaient qu'être bons et heureux.

Tout aurait pu rester ainsi pour toujours, mais Dieu avait un terrible ennemi, Satan. Autrefois, c'était un ange plein de beauté, mais parce qu'il était devenu orgueilleux, Dieu dût le chasser du ciel. Satan haïssait tellement Dieu qu'il fut furieux lorsqu'il le vit avoir de nouveaux amis, Adam et Eve.

Satan réfléchissait : *Si seulement je pouvais pousser les hommes à faire quelque chose de mal, cela gâcherait tous les projets de Dieu !* Il eut alors une idée.

Dieu avait imposé une seule règle : Vous pouvez avoir tout ce que vous voulez, excepté le fruit de l'arbre qui se trouve au milieu du jardin. C'était là l'ordre de Dieu à Adam et à Eve.

Dieu savait que, s'ils mangeaient de ce fruit, ils connaîtraient aussi bien les mauvaises choses que les bonnes, et il voulait les préserver de tout ce que pouvait entraîner les mauvais choix.

Un jour, alors qu'Eve était seule, Satan se présenta à elle sous la forme d'un serpent. Il se glissa vers elle et lui siffla à l'oreille : *Le fruit de l'arbre du milieu du jardin a l'air magnifique. Es-tu tout à fait sûre que Dieu a défendu d'en manger ? Il semble si délicieux !*

Sans hésiter, Eve répondit : *Oh oui ! Nous ne devons pas même y toucher, ou alors nous mourrons.*

Mais ce n'est pas vrai ! mentit Satan. *Allez, goûtes-y !*

Eve se leva et regarda l'arbre. Peut-être pouvait-elle croire Satan ! Lentement, elle tendit la main et l'instant d'après, elle mordit dans le fruit croquant et juteux.

Aussitôt, elle appela Adam : *Adam, Adam ! Goûte ! C'est délicieux !*

Lorsque Dieu entra dans le jardin, ce soir-là, Adam et Eve s'étaient cachés. Ils savaient qu'ils avaient fait quelque chose d'affreux. Parce que leurs cœurs étaient déjà devenus mauvais, ils commencèrent à se rejeter la faute l'un sur l'autre et à blâmer le serpent, mais ils ne demandèrent pas pardon. Satan s'était servi d'eux pour introduire dans le monde tout ce qui nous rend malheureux.

Dieu sut immédiatement ce qui était arrivé, et il fut désespérément triste. A regret, il ordonna : *Vous devez quitter ce jardin, et travailler dur pour manger, car maintenant les mauvaises herbes vont pousser et les insectes mangeront vos plantations. La douleur et la maladie gâcheront vos vies et un jour vous mourrez.*

Satan pensa avoir gagné, mais Dieu préparait déjà un plan secret pour sauver les hommes de la mort.

Genèse 4

LES FRERES QUERELLEURS

LES FRÈRES NE S'AIMENT PAS TOUJOURS, et les deux fils d'Adam et Eve étaient souvent en conflit. Ils étaient trop différents l'un de l'autre, voilà le problème ! Caïn passait tout son temps à faire pousser de quoi manger, comme le maïs et les légumes, tandis qu'Abel devenait l'ami des brebis et des béliers. Il aimait prendre soin d'eux, leur trouver de l'herbe grasse, les protéger des redoutables animaux sauvages.

Caïn hurlait : *Ce n'est pas juste, Abel ! Je dois travailler et me battre tout le jour avec les mauvaises herbes et les insectes, pendant que tu ne fais que te promener avec ces brebis idiotes, tout en parlant constamment à Dieu.*

C'était là la vraie raison pour laquelle Caïn était fâché. Abel aimait Dieu et était son ami, alors que Caïn ne cherchait pas à le connaître.

La nuit, Abel avait l'habitude de veiller dehors avec ses troupeaux, attentif aux ours ou aux lions qui auraient pu les blesser. Il n'était jamais seul puisque Dieu était près de lui.

Un jour, Caïn imagina qu'il pouvait s'acheter les faveurs de Dieu. Il pensa que lui offrir quelques uns de ses légumes et de ses fruits l'amadouerait. C'est ainsi qu'il prépara son offrande.

De son côté, Abel qui aimait Dieu, chercha à le lui montrer et il décida de lui offrir les premiers nés de son troupeau.

Dieu vit l'offrande de Caïn et le sacrifice d'Abel. Il vit aussi le cœur de chacun et il préféra l'attitude d'Abel.

Cela rendit Caïn très furieux. Il s'assit dans un champ, regarda son frère et conçut des plans pour lui faire mal. *Je le hais !* pensa-t-il avec colère.

Dieu l'avertit : *Fais attention, Caïn ! Satan veut que tu tombes en son pouvoir, c'est pourquoi il va essayer de te faire faire quelque chose de terrible.* Mais Caïn n'écouta pas Dieu.

Il invita son frère : *Viens te promener, Abel. Il est temps que nous devenions amis.* Mais dès que Caïn pensa être à l'abri de tous les regards, il prit la pierre coupante dont il se servait pour labourer le sol, et frappa Abel si fort qu'il en mourut. Ensuite Caïn enterra rapidement et profondément son frère.

Juste comme il rentrait, la voix de Dieu le fit sursauter : *Où est ton frère ?*

Je ne sais pas ! mentit-il. *Je n'ai pas à le surveiller tout le temps.* Mais **Dieu savait ce qu'il avait fait.**

Dieu le sanctionna : *Caïn ! Tu devras quitter ta maison, ta ferme et passer le reste de ta vie à errer sur la terre. J'ai vu ce que tu as fait à Abel.*

De nouveau, Dieu fut très triste, et Adam et Eve pleurèrent leurs deux fils. Comme ils ont dû regretter avoir mangé de ce fruit défendu !

Genèse 6, 7, 8, 9

UN BATEAU PLEIN D'ANIMAUX

LE MONDE ENTIER était un horrible gâchis, et **Dieu se désolait d'avoir fait les hommes.** Des centaines d'années s'étaient écoulées depuis Adam et Eve, et les peuples s'étaient répandus sur toute la terre. Ils n'aimaient pas Dieu et ne voulaient pas le connaître ; ils se haïssaient aussi les uns les autres et passaient leur vie à voler et à tuer.

Je ne peux pas laisser cela continuer ! pensa Dieu avec tristesse. *Noé et sa famille sont les seules personnes qui soient bonnes. Je vais devoir punir toutes les autres.*

C'est ainsi qu'un jour, Dieu interpella Noé : *Je vais inonder et noyer toute la terre. Construis un immense bateau, avec assez de place pour ta famille et quelques uns de chaque espèce d'animaux, d'oiseaux et d'insectes, ainsi que toute la nourriture nécessaire pour un an.*

Il faut que ce soit vraiment un grand bateau ! pensa Noé, et il commença à couper des arbres pour avoir du bois.

Qu'est-ce que tu fabriques là, Noé ? se moquèrent les voisins. Ils éclatèrent de rire lorsque Noé leur répondit qu'il construisait un bateau ! *Mais nous sommes à des lieues de la mer ! Tu es devenu fou !* gloussèrent-ils.

Noé répliqua calmement : *Si vous ne vous repentez pas pour les mauvaises choses que vous avez faites, vous serez tous noyés !* Mais personne ne le crut.

Il fallut à Noé, et à ses trois fils, des années et des années pour finir ce bateau, puis beaucoup de temps pour rassembler ensuite, les animaux demandés par Dieu. On se moquait bien d'eux en les regardant pousser toutes ces bêtes sur la passerelle !

C'est alors qu'il commença à pleuvoir. *Peut-être qu'après tout Noé avait-il raison !* se lamentèrent-ils bientôt alors qu'ils pataugeaient déjà dans les flaques d'eau.

La pluie fit grossir les fleuves et leurs flots se pressèrent dans la mer.

La marée monta de plus en plus et d'immenses vagues déferlèrent dans l'intérieur du pays ; et il pleuvait toujours !

Les gens grimpèrent aux arbres, sur les collines et les montagnes, mais l'eau monta et les recouvrit tous. Alors le bateau de Noé se mit à ballotter, en toute sécurité sur les vagues, jusqu'à ce que finalement la pluie s'arrête.

Quel bruit dans ce bateau ! Des aboiements, des cris rauques, des meuglements, des rugissements et des coassements ! Et que dire de l'odeur ! Noé et sa famille ont dû les supporter pendant des mois, mais ils étaient si heureux d'être en vie qu'ils n'y prêtèrent pas trop attention.

Un jour, ils sentirent tous une grande secousse ; le bateau s'était échoué sur le sommet d'une montagne.

Le niveau de l'eau doit enfin descendre ! se dit Noé.

Il fallut au vent et au soleil encore de nombreuses semaines pour sécher entièrement la boue noire et limoneuse qui recouvrait tout.

Puis un matin, lorsque Noé relâcha une petite tourterelle grise, elle revint avec des feuilles fraîches dans le bec.

Les plantes poussent de nouveau ! dit Noé en souriant. *Il ne faudra pas longtemps maintenant, avant qu'il y ait assez de nourriture pour les animaux.*

Et finalement, le jour arriva où ils purent ouvrir le bateau et laisser les animaux recouvrer la liberté en galopant, sautant, volant ou se tortillant.

Soudain, le ciel entier fut éclairé par un arc-en-ciel. La voix de Dieu se fit entendre : *Je promets de ne plus jamais inonder la terre, et cet arc-en-ciel est le signe de ma promesse.*

Job 1, 2, 38, 42

L'HOMME QUI AVAIT TOUT PERDU

UN JOUR, Satan vint voir Dieu. Il était très content de lui. Les hommes habitaient de nouveau sur toute la terre, mais peu d'entre eux aimaient Dieu.

Dieu dit : *J'ai vraiment un ami sur terre ! As-tu remarqué Job ?* Le méchant sourire de Satan s'éteignit un peu.

C'est l'homme le meilleur au monde ! ajouta Dieu.

Satan ricana : *Oui, mais c'est aussi le plus riche ! C'est ton préféré et tu lui donnes tout. Regarde toutes ses brebis, ses chameaux et ses ânes ! Il est ton ami seulement parce que cela lui rapporte. Enlève-lui tout ce qu'il possède et aussitôt il te haïra.*

Dieu affirma : *Non, il ne le fera pas ! Il m'aime pour ce que je suis, non pas pour ce que je lui donne.*

Laisse-moi te prouver le contraire ! insista Satan.

D'accord ! répliqua Dieu *Mais tu ne dois pas faire de mal à Job lui-même. »*

Peu de temps après, Job était assis dans sa belle maison, lorsqu'un de ses hommes frappa à la porte et lui annonça : *Il y a eu une tempête terrible ; tous tes troupeaux ainsi que les bergers ont été tués.*

Avant qu'il eût fini de parler, un autre ouvrier agricole se précipita à l'intérieur : *Des soldats ennemis ont tué tes serviteurs et emmené les chameaux et les ânes !*

Pauvre Job ! Subitement, il ne lui restait plus rien.

J'ai de terribles nouvelles ! cria un autre homme qui arrivait en courant. *Tes dix enfants étaient à une fête, lorsqu'un vent violent fit s'écrouler la maison et les tua tous !*

Job se leva et déchira ses vêtements en morceaux pour montrer sa douleur. *Dieu m'a tout donné et maintenant il a tout repris, mais je l'aime toujours !* Ce fut tout ce qu'il dît.

En entendant cela, Satan fut très fâché. *C'est encore un homme solide,* répliqua-t-il à Dieu. *Mais si je peux le rendre malade et qu'il perde tous ses amis, il sera très en colère contre toi.*

Bientôt, ce pauvre Job fut terriblement malade, couvert d'horribles boutons et d'ulcères.

Ces voisins avaient peur. Ils décidèrent : *Bannissons-le de la ville ! Sinon, nous pourrions nous aussi attraper ce mal !* Alors Job fut conduit hors de la cité, et on le laissa tout seul sur un tas d'ordures. Même sa femme se détourna de lui.

Tu dois avoir fait quelque chose de terrible pour que Dieu laisse tout ceci t'arriver ! lui dirent ceux qui pourtant étaient ses amis.

Job ne pouvait pas comprendre Dieu. Il fut malade pendant des mois, et tous étaient méprisables envers lui, mais bien qu'il se sentît terriblement misérable, **il continua à faire confiance à Dieu.**

Finalement, Dieu ne put garder plus longtemps le silence et il vînt au secours de son ami. Job fut guéri et Dieu lui donna deux fois plus de richesse qu'il n'en possédait avant la dure épreuve imposée par Satan.

Job eut de nouveau dix enfants ; il vécut une vie longue et heureuse avec sa famille.

Genèse 12 : 1-5 ; 15 : 1-6 ; 18 : 1-5

LE GRAND PROJET

TU NE PEUX VOIR DIEU, alors comment sais-tu qu'il est là ? C'est ce que les gens disaient toujours à Abraham, l'ami de Dieu. Dieu fut très triste lorsque ces hommes fabriquèrent leurs propres dieux, façonnés dans la pierre ou l'or.

Un jour, Dieu déclara à Abraham : *Je veux que tu quittes cette ville !* A cette idée, Abraham était plutôt effrayé. Il aimait la cité luxuriante d'Ur où il avait de nombreux amis.

Dieu lui précisa : *Très loin d'ici se trouve un pays magnifique appelé Canaan ; je veux te le donner, à toi et à tes enfants.*

Pourquoi à moi ? demanda Abraham.

Parce que personne ne sait qui je suis vraiment, excepté toi. Je veux que ta famille devienne un peuple différent : mon peuple. Par la façon dont je prendrai soin de vous, vous montrerez au reste du monde que je suis le Dieu d'amour !

Mais ma femme et moi n'avons pas d'enfant, répliqua Abraham plutôt déconcerté, *et nous sommes bien trop vieux maintenant pour fonder une famille.*

Dieu insista : *Abraham ! Je t'ai choisi afin que tu fasses partie de mon plan secret. Vas-tu me faire confiance ?*

Oui ! répondit Abraham en souriant et il se dépêcha de préparer ses bagages.

Tu es fou ! raillèrent ses amis. *Partir alors que tu ne sais même pas où tu vas, suivre un Dieu que tu ne vois même pas ! Pense à tous les voleurs et tu regretteras d'avoir quitté ta confortable maison pour une tente pleine de courants d'air.*

Abraham se contenta de sourire en disparaissant au loin, suivi de ses nombreux serviteurs et de ses animaux.

Après avoir parcouru une grande distance dans la poussière et le danger, ils arrivèrent au pays de Canaan. Abraham et sa femme Sarah s'installèrent pour attendre la famille que Dieu leur avait promise.

Mais aucun bébé ne vint. Les années passèrent et ils devinrent encore plus vieux.

Dieu a oublié sa promesse ! pensa Sarah avec tristesse. *C'est bien trop tard maintenant.*

C'est alors qu'elle vit trois hommes qui se dirigeaient vers eux. *Ils ont l'air fatigué,* pensa-t-elle avec bonté.

Entrez vous restaurer ! proposa Abraham lorsqu'il vit lui aussi les voyageurs.

Heureusement qu'Abraham et Sarah n'ont pas laissé ces hommes continuer leur route sous le soleil, parce que l'un d'eux était Dieu et les deux autres étaient des anges. Bien sûr, Abraham et Sarah ne le savaient pas. Ils se dépêchaient de préparer le repas.

Lorsque les visiteurs commencèrent à manger, Sarah les observa avec curiosité, cachée derrière un rideau. Qu'elle ne fut pas sa surprise lorsqu'elle les entendit dire à Abraham : *Dans neuf mois, Sarah aura un fils.*

Sarah ricana discrètement : *C'est impossible ! Abraham va bientôt avoir cent ans !*

Dieu sut aussitôt et exactement ce qu'elle pensait. Il demanda : *Pourquoi Sarah a-t-elle ri ?* **Y a-t-il quelque chose d'impossible pour Dieu ?**

Subitement, Abraham et Sarah réalisèrent qui étaient vraiment leurs visiteurs.

Neuf mois plus tard, ils eurent un fils appelé Isaac. Ce fils devint plus tard quelqu'un de très important dans le plan de Dieu.

Genèse 22

JUSQU'OU VA L'AMOUR ?

ABRAHAM ÉTAIT TRÈS RICHE. Il avait tellement de serviteurs et d'animaux qu'il lui était difficile d'en faire le compte. Mais son fils Isaac était à ses yeux plus précieux que tout. Le vieil homme se surprit à penser : *Comme j'aime voir grandir ce garçon ! Il est toujours joyeux et bon. Il est tout à fait selon le désir de Dieu.*

Mais Dieu fut triste en observant Abraham assis joyeusement au soleil. En effet, il devait demander au vieil homme quelque chose de terriblement difficile. Le projet de Dieu pourrait fonctionner si Abraham lui faisait totalement confiance, et Dieu devait vérifier si c'était le cas.

Abraham ! appela Dieu d'une voix que seul son ami pouvait entendre. *Je veux que tu m'offres un sacrifice.* Abraham fut heureux. Il aimait montrer à Dieu son amour en lui offrant un de ses animaux. C'est cela un sacrifice.

Dieu précisa : *Je veux que tu ailles sur une colline loin d'ici ! Je ne veux pas d'une brebis ou d'une vache ; cette fois je veux ton fils unique, Isaac, que tu aimes tant.* Le pauvre Abraham était accablé. Offrir Isaac en sacrifice signifiait qu'il devait le brûler dans un feu. Comment Dieu pouvait-il bien vouloir cela ?

Dieu sait certainement ce qu'il fait ! se dit Abraham en lui-même, mais la seule pensée d'effrayer Isaac et de lui faire mal lui était terrible.

Très tôt le lendemain matin, Abraham et Isaac se mirent en route pour un long voyage. Dieu les conduisit sur la même colline où, des années plus tard, il regarderait son Fils unique, Jésus, mourir en sacrifice.

Alors qu'ils grimpaient sur le sentier étroit, Isaac demanda : *Père, je porte le bois et tu as le pot de braises, mais nous avons oublié l'agneau, n'est-ce pas ?* Abraham fut bien près de pleurer, mais il réussit à dire : *Dieu fournira de quoi offrir le sacrifice, mon fils.*

Ensemble, avec les pierres éparpillées au sommet de la colline, ils construisirent un autel et préparèrent le bois. Puis le moment terrible arriva. Abraham prit des cordes et ligotant Isaac, il l'étendit sur l'autel.

Isaac était maintenant un solide garçon et Abraham un très vieil homme. Isaac aurait pu aisément se défendre et s'échapper, mais **il faisait confiance à son père, tout comme celui-ci faisait confiance à Dieu.** C'est pourquoi Isaac ne dit rien. La main d'Abraham tremblait et Isaac avait sûrement fermé les yeux.

La voix de Dieu retentit juste à temps : *Stop ! Ne fais pas de mal à ce garçon ! Je sais maintenant que tu m'aimes plus que tout au monde.*

Soupirant de soulagement, Abraham regarda autour de lui et découvrit un bélier pris par les cornes dans les ronces ; il l'offrit à Dieu, à la place d'Isaac.

Assis ensemble près des braises, le père et le fils virent les étoiles apparaître dans le ciel nocturne. Des millions d'étoiles.

Abraham se souvint de la promesse de Dieu : *Je te donnerai une famille aussi nombreuse que ces étoiles. Et un jour, dans ta famille, naîtra celui qui sera une bénédiction pour le monde entier !*

Dieu leur avait ainsi dévoilé le secret le plus important qui soit de son merveilleux plan.

Genèse 25 : 19-34 ; 27 : 1-5

LES JUMEAUX

ISAAC ÉTAIT DEVENU ADULTE et avait épousé une jeune fille du nom de Rébecca. Ils avaient, tout comme Abraham et Sarah, attendu des années avant d'avoir un bébé, mais maintenant, Dieu leur avait confié qu'ils allaient avoir deux garçons en même temps !

Des jumeaux ! Comme c'est beau !

Avant la naissance des jumeaux, Dieu confia à leur mère Rébecca quelque chose de très étrange : *Rappelle-toi que j'ai choisi le plus jeune pour qu'il fasse partie de mon projet.*

En ces temps-là, c'était toujours le fils le plus âgé qui recevait l'héritage et devenait à son tour chef de la tribu. L'aîné était Esaü et c'était un bébé grand et fort, à la voix très puissante. Quelques minutes plus tard, Jacob naquit à son tour. Il était beaucoup plus petit, plus tranquille et plus discret.

Alors qu'Isaac regardait grandir ses fils, il fut déconcerté. Esaü l'aîné, semblait tout indiqué pour devenir le successeur de son père et pour accomplir le plan de Dieu.

Isaac réfléchissait : *Il est si fort et si courageux ! Dieu va sûrement choisir un garçon tel que lui, et non le petit Jacob qui n'est pas très brillant aux jeux ni assez courageux pour chasser les animaux sauvages.*

Mais **Dieu ne fait pas d'erreur.** Il savait qu'Esaü ne se préoccupait pas du tout de lui, alors que Jacob aimait le Seigneur de tout son cœur.

De son côté, Jacob se disait : *Ce n'est pas très juste ! Si j'étais né quelques minutes avant mon frère, toutes les promesses et les bénédictions de Dieu auraient été en ma faveur. Je voudrais être grand et fort comme Esaü ; alors mon père m'aimerait aussi.*

Un jour, Jacob cuisinait une soupe de fèves lorsque Esaü, affamé, revint chancelant à la maison, fatigué par une longue chasse. L'aîné ordonna : *Cela sent magnifiquement bon ! Donne-m'en, je meurs de faim !*

Je te donnerai tout, si tu promets de me céder un jour la place de chef de tribu ! rétorqua calmement Jacob. Esaü le lui promit immédiatement, puis engloutit la soupe.

Isaac devint vieux et aveugle et, sans demander l'avis de Dieu, dit à Esaü : *Je veux que tu hérites de tout à ma mort, c'est pourquoi ce soir, je te bénirai une dernière fois pour témoigner à tous que tu seras bien le chef de tribu. Maintenant, va dans les collines et tue un cerf. Puis, tu prépareras mon plat préféré avant de recevoir ma bénédiction.*

Lorsque Rébecca et Jacob apprirent cela, ils furent horrifiés.

Esaü a oublié la promesse qu'il m'a faite ! observa Jacob. *Et ton père a oublié la promesse que Dieu a faite avant votre naissance !* ajouta Rébecca.

Bien sûr, ils auraient dû aussitôt en parler à Dieu, mais ils décidèrent de faire quelque chose de très étrange.

Genèse 27 : 6-45 ; 28 : 10-19

FRAYEUR DANS LA NUIT

RÉBECCA S'ORGANISA rapidement et dit à Jacob, son fils préféré : *Tu vas t'habiller comme ton frère. Nous allons tromper ton père et il te donnera la bénédiction. Ce soir je cuisinerai un délicieux plat d'agneau, tu le lui apporteras et tu prétendras être Esaü.*

Jacob fit remarquer : *Père est peut-être aveugle, mais lorsqu'il me bénira, il sentira que je ne suis pas aussi poilu qu'Esaü.*

Aussitôt, Rébecca entoura Jacob de peaux de chèvres, puis elle ajouta : *Mets les vêtements de ton frère, ainsi tu auras aussi son odeur.*

Lorsque Jacob entra nerveusement sous la tente de son père, le vieil homme demanda, d'une voix chevrotante : *Qui est là ?*

C'est moi, Esaü, ton fils aîné ! mentit Jacob, essayant de rendre sa voix bourrue.

Le vieil homme fut déconcerté : *Viens plus près,* dit-il tout en promenant ses vieilles mains tremblantes sur les peaux de chèvre. *Tu as tout à fait la peau et l'odeur d'Esaü, mais ta voix est celle de Jacob.*

Cependant comme il sentit aussi l'odeur de son plat favori, il oublia vite ses soupçons.

Lorsqu'il eut beaucoup mangé, il eut sommeil et donna sa dernière bénédiction au fils qu'il n'avait jamais vraiment aimé.

Je le tuerai ! Le terrible cri de colère emplit le silence du camp. Esaü était rentré et avait compris qu'il avait été trompé par son frère.

Rébecca se lamenta : *Tu dois partir Jacob ! Va te réfugier chez ton oncle Laban. Il habite très loin d'ici. Esaü ne te trouvera jamais là-bas.*

Jacob courut tout le jour, et constamment il regardait avec nervosité par-dessus son épaule. Il était terrifié à la pensée qu'Esaü le poursuive. Par prudence, il choisit un chemin discret, perdu à travers les collines.

J'aimerais être en sécurité à la maison ! pensa-t-il, alors qu'il se couchait sur le sol dur, en écoutant le vent mugir dans les arbres.

Il était troublé et triste d'avoir raconté des mensonges ! *Maintenant, j'ai tout perdu ! Et je suis tout seul.*

Mais là, il se trompait ! **Parce qu'il regrettait ses mauvaises actions, Dieu lui pardonna et prit soin de lui.**

Lorsqu'enfin il s'endormit, la tête sur une pierre plate, Dieu lui envoya un rêve magnifique : une grande échelle semblait atteindre le ciel, et des anges y montaient et en descendaient toute la nuit. Puis, depuis la lumière dorée du ciel, Dieu parla à Jacob et lui dit qu'il pourrait toujours faire partie de son grand projet.

Dès qu'il se réveilla, Jacob pensa : *Après tout, je dois être spécial, puisque Dieu m'aime, même si je n'étais pas le préféré de mon père.*

Il était si heureux qu'il voulut offrir un cadeau à Dieu, mais tout ce qu'il avait c'était une petite jarre d'huile, don de sa mère pour soigner les coupures et les ampoules. Alors il répandit l'huile sur la pierre plate qui lui avait servi d'oreiller.

Seul, face à Dieu, Jacob déclara : *Je reviendrai un jour à cet endroit. Je l'appellerai Béthel, parce qu'ici, j'ai rencontré Dieu.*

Lorsqu'il descendit le long du sentier, il se sentit un autre homme. Dieu lui avait confirmé qu'il ne serait jamais seul.

L'ONCLE AFFREUX

JACOB n'appréciait pas beaucoup son oncle Laban. Et pour cause, c'était un homme méchant et avide. *Pourquoi ne pas rester avec nous ?* suggéra Laban, pensant faire travailler durement son neveu à la ferme. Jacob y trouvait aussi son intérêt. En effet, Laban avait une fille très belle appelée Rachel, et Jacob y pensait souvent : *Je dois être en train de tomber amoureux !*

Un mois plus tard, Jacob avait travaillé si durement que son oncle lui dit : *Je te donnerai tout ce que tu me demandes si tu restes avec nous.*

Regardant Rachel en face de lui à la table du souper, Jacob répondit : *Je ne veux pas de salaire. Mais je travaillerai pour toi pendant sept ans si tu me laisses épouser ta fille.*

D'accord ! lança Laban, un éclair de malice dans les yeux.

Rachel et Jacob s'aimaient tellement que le temps leur parut court jusqu'au jour de leur mariage. Alors, une chose terrible se produisit.

Le jour du mariage, Laban habilla Léa, la sœur de Rachel, une jeune fille plutôt laide, avec le voile de la mariée et ainsi, la donna pour femme à Jacob.

Laban avait un plan. Il se disait : *Jacob m'est si utile, que je ne veux pas le perdre. S'il veut Rachel, je le ferai travailler encore sept ans pour qu'il puisse l'épouser.*

Lorsque Jacob l'eut découvert, il fut furieux. Il comprit aussi ce que l'on ressent lorsque l'on est trompé.

Pour l'apaiser, l'oncle expliqua : *Dans ce pays, tu peux avoir autant de femmes que tu le désires. Epouse Rachel la semaine prochaine, mais tu devras travailler pour elle.*

Par la suite, la vie ne fut pas très agréable pour Jacob. Laban restait assis à ne rien faire, et devenait gros, pendant que Jacob travaillait très dur pour gagner de l'argent à son profit. De plus, les deux sœurs se disputaient constamment. Léa eut de nombreux et beaux garçons, alors que Rachel dut attendre des années avant d'avoir son premier bébé.

Lorsqu'enfin elle mit au monde un petit garçon qu'elle appela Joseph, Jacob murmura : *Cet enfant fera partie du plan de Dieu. Nous pouvons rentrer chez nous maintenant.*

Mais lorsque Laban entendit cela, il fut horrifié : *Vous ne pouvez pas partir ! Vous n'avez pas d'argent !*

Je continuerai à travailler pour vous !, répliqua Jacob. *Et comme salaire, je réclame toutes les brebis tachetées de noir.*

D'accord ! dit Laban avec joie, car la plupart de ses brebis étaient blanches !

Cette nuit-là, Dieu indiqua à Jacob le secret pour que les brebis blanches aient des agneaux tachetés de noir, et quelques mois plus tard, Jacob eut un troupeau bien plus important que celui de Laban. Jacob devint très riche.

Laban fut furieux et le pauvre Jacob en eut si peur qu'il décida de partir.

En secret, il fit monter ses femmes et ses enfants sur des chameaux et s'en alla avec tous ses serviteurs et des milliers de bêtes tachetées.

Lorsque Laban le découvrit, il devint livide et partit avec tous ses hommes à leur poursuite. *Je leur ferai regretter de m'avoir quitté !* grinça t-il menaçant.

Cependant, Dieu se révéla à lui et l'avertit : *Je t'observe, Laban ! Tu ne toucheras pas à Jacob ; c'est mon ami !*

Laban en fut si effrayé qu'il se réconcilia avec Jacob, rentra chez lui et fit lui-même le travail des champs.

Jacob fut soulagé et il reconnut : **Dieu prend bien soin de nous !** *J'espère qu'il nous protégera aussi de mon frère Esaü. Allons ! Rentrons tous à la maison, au pays de Canaan !*

Genèse 35 : 16-19 ; 37

LE TROU NOIR

N*OUS Y SOMMES ! Voilà Béthel ! Regardez tous !* Jacob était très excité ! Ils avaient voyagé pendant des lieues, et après de nombreuses aventures, ils étaient enfin arrivés.

Voici les rochers où j'ai entendu un jour les lions rugir, Joseph ! expliqua t-il à son plus jeune fils. Il poursuivit : *Tout ce que je possédais alors, c'était un bâton et une petite jarre d'huile. Regarde maintenant tout ce que Dieu m'a donné !* Jacob contempla, en souriant, sa grande famille et la foule de ses serviteurs ainsi que ses troupeaux.

Même lorsque Esaü se fut mis en route avec quatre cents hommes pour le rencontrer, Dieu les avait aidés à se réconcilier. *Je pensai vraiment qu'il nous tuerait tous,* avoua Jacob en tremblant. *Mais Esaü est lui-même si riche maintenant, que cela lui est égal que je devienne chef de tribu après notre père Isaac. C'est aussi ce que tu deviendras un jour Joseph !* ajouta t-il, parlant à son fils préféré, lequel devait juste avoir sept ans. *Tout ira bien, maintenant que nous sommes rentrés chez nous !* déclarait-il, mais il se trompait.

Lorsqu'ils atteignirent le lieu qui deviendra plus tard Bethléem, Rachel mourut. Pauvre Joseph ! Sa mère lui manquait déjà, mais en mourant, elle lui avait laissé un cadeau, un nouveau petit frère appelé Benjamin. *Je ne laisserai pas les autres te faire du mal !* murmura Joseph en portant le petit Benjamin dans ses bras.

Les dix grands fils de Léa faisaient tout le temps du mal à Joseph. Ils le haïssaient parce qu'il était le préféré de leur père. Il est vrai que Jacob lui avait donné un manteau spécialement coloré, afin de montrer qu'il serait certainement chef, un jour. *Ce n'est pas juste,* grognèrent-ils. *C'est Ruben l'aîné. C'est lui le chef héritier.* Alors, ils projetèrent de tuer Joseph.

Un jour, alors que les aînés étaient avec les troupeaux dans une vallée éloignée, Jacob dit à Joseph : *Tes frères sont partis depuis bien longtemps, va voir s'ils vont bien.*

Joseph savait qu'il serait dangereux d'y aller seul, car ses frères le haïssaient, mais il ne voulut pas inquiéter à son père.

Joseph était encore loin lorsqu'ils le virent s'approcher. *Voilà notre chance,* murmurèrent-ils. *Prenons-le et jetons-le dans ce trou profond ; il y mourra rapidement.* Et c'est ce qu'ils firent !

Laissez-moi sortir ! Laissez-moi sortir ! cria le pauvre Joseph, mais ses frères se contentèrent de rire en s'installant pour souper.

Des marchands, en route pour le riche pays d'Egypte, passèrent alors sur leurs chameaux.

Voudriez-vous acheter un jeune esclave ? proposa Judas, avec un mauvais sourire. Il expliqua à ses frères : *Gagnons de l'argent tout en nous débarrassant pour toujours de Joseph.*

Lorsqu'ils firent descendre une corde dans l'obscurité du trou, Joseph pensa être enfin secouru. Mais au contraire, il fut attaché sur le dos d'un chameau, et ses frères reçurent chacun deux pièces d'argent.

Joseph ne put s'empêcher de pleurer : *Reverrai-je un jour mon père et le petit Benjamin ?* Puis il se calma : *Dieu était avec mon père lorsqu'il partit pour un pays lointain, et je sais qu'il sera aussi avec moi.* **Dieu garde toujours ceux qui l'aiment.**

Les fils de Jacob se présentèrent devant leur père. Hypocritement, ils montrèrent la tunique de toutes les couleurs de Joseph. Ils l'avaient tâchée du sang d'une bête : *Regarde, Père ; Joseph a dû être dévoré par une bête sauvage. Le pauvre !*

Le vieux Jacob fut terriblement triste. Dieu l'avait-il oublié ?

Genèse 39, 40, 41 : 1-40

LES CACHOTS

C'ÉTAIT HORRIBLE de devoir attendre d'être vendu sur un marché aux esclaves dans ce pays inconnu d'Egypte. Joseph se tint droit et se rappela que même là, Dieu l'aimait. Il réussit à prendre un air si courageux qu'il fut acheté par Potiphar, capitaine de la garde royale qui l'emmena dans sa grande maison.

Joseph y travaillait très dur, car il voulait plaire à Dieu et bientôt Potiphar le plaça à la tête des esclaves. Tout allait bien pour Joseph jusqu'à ce que la femme de Potiphar se mette, un jour, injustement en colère contre lui ; elle le fit mettre en prison.

Les cachots étaient sombres et humides et bien peu en sortaient vivants. *Mais ici je peux encore travailler pour Dieu !* pensa Joseph et il prit soin de tous les autres prisonniers.

Une nuit, l'un des hommes fit un rêve qui le terrifia. *Aide-moi Joseph,* supplia-t-il. *Demande à ton Dieu ce que ce rêve signifie !*

Avant de répondre, Joseph pria puis il dit : *N'aie pas peur ! Le rêve signifie que tu seras bientôt libéré et que tu retourneras travailler.*

Mon travail consiste à goûter le vin du roi, confia l'homme rassuré. *Lorsque je serai de nouveau au palais, je demanderai au roi de te libérer.* Mais il oublia vite le pauvre Joseph.

Une nuit, le pharaon, qui gouvernait l'Egypte, fit un rêve affreux. *Dites-moi ce qu'il signifie !* hurla-t-il à tous.

Personne n'était assez intelligent pour cela et le roi devint dangereusement furieux. Alors que le sommelier s'affairait à le calmer avec du vin, il se souvint subitement de Joseph. *Votre Majesté,* osa-t-il, *je connais quelqu'un qui pourrait vraiment vous aider ; c'est terrible de ma part d'avoir oublié de vous en parler !*

Aussitôt, des soldats se précipitèrent dans les cachots du palais pour y chercher Joseph, sur ordre du pharaon.

Tu ne peux pas aller voir le roi dans cet état ! dirent-ils avec dégoût lorsqu'ils virent Joseph en haillons. *Regarde un peu tes cheveux et ta barbe !*

Personne ne fut lavé et parfumé aussi rapidement ! Bientôt Joseph se retrouva devant le pharaon.

On me dit que tu comprends les rêves ! lança le roi.

Non, Votre Majesté, c'est faux, répondit Joseph calmement. **Dieu seul connaît toute chose.** *Il peut donner sens à tes rêves.*

Pharaon regarda longuement Joseph. Cet esclave ressemblait davantage à un prince qu'à un prisonnier.

Le pharaon raconta alors son cauchemar : *Sept vaches grasses sortaient du Nil. Puis, sept autres terriblement maigres les mangèrent, mais elles n'en devenaient pas plus grasses pour autant ; qu'est-ce que cela peut bien vouloir dire ?*

Joseph entreprit d'expliquer le rêve : *Votre Majesté, Dieu vous avertit au sujet de choses terribles qui vont arriver et si vous n'agissez pas rapidement, votre peuple tout entier mourra. Pendant sept ans, les récoltes de grains seront si abondantes en Egypte, que les gens en jetteront. Ensuite, sept années terribles suivront pendant lesquelles il n'y aura aucune récolte. Vous devez construire de grands entrepôts et faire des réserves maintenant, ou bien des milliers de personnes et d'animaux mourront de faim pendant les sept mauvaises années.*

Tu es l'homme le plus intelligent que je connaisse, reconnut le roi avec force, puis il ajouta : *Tu seras l'homme qui conduira cette entreprise pour moi ! L'Egypte doit être sauvée.*

Ainsi, de l'état d'esclave en haillons dans un cachot, Joseph passa à celui d'homme parmi les plus puissants au monde.

Le plan de Dieu était en train de s'accomplir.

Genèse 42, 43, 44, 45, 46

LE PREMIER MINISTRE

PARTOUT DANS LE MONDE, on avait faim, mais en Egypte il y avait suffisamment de nourriture, car Joseph avait partagé équitablement le grain stocké dans les grands entrepôts. Lorsqu'il apprit que les gens, ailleurs, mourraient de faim, il se fit du souci pour son père et pour son frère, Benjamin. Un jour, il eut un choc terrible. Ses dix frères arrivèrent au palais. *Envoyez-les moi !* ordonna-t-il à ses serviteurs.

Sont-ils toujours aussi méchants, se demanda-t-il en s'asseyant sur son trône doré. Il avait l'air si imposant dans ses beaux vêtements que ses frères ne le reconnurent pas, aussi décida-t-il de voir s'ils avaient changé. *Vous êtes des étrangers,* cria-t-il en faisant semblant d'être fâché. *Vous êtes certainement des espions.*

Non, non, Seigneur ! protesta Judas. *Nous sommes là pour acheter de la nourriture pour nos familles, pour notre père et pour notre jeune frère. Tous meurent de faim chez nous !*

Vont-ils vendre Benjamin comme esclave ? se demanda Joseph. *Amenez-moi votre frère ! insista-t-il, ou vous n'aurez plus de nourriture.*

Judas protesta misérablement : *Nous ne pouvons pas faire cela ! Si quelque chose arrivait à Benjamin, notre pauvre père en mourrait.*

Et cela leur ferait-il quelque chose ? pensa Joseph en se rappelant combien ils s'étaient montrés cruels envers lui. *Si vous ne m'amenez pas votre frère, je saurais alors que vous êtes des espions !* tempêta-t-il.

Les dix hommes discutèrent entre eux, nerveusement en se dépêchant de rentrer chez eux : *Le malheur est sur notre tête. Et cela à cause de ce que nous avons fait autrefois à Joseph !*

Quelques mois plus tard Judas déclara : *Père; nous avons maintenant mangé tout le grain égyptien. Si cette fois nous n'emmenons pas Benjamin avec nous, nous allons tous mourir en Egypte.*

Jacob sanglota : *Mais il est tout ce qui me reste !*

Je le garderai au péril de ma vie ! promit spontanément Judas.

Lorsque Joseph les vit tous de retour dans son palais, il lui fut difficile de ne pas prendre Benjamin dans ses bras, mais il devait s'en tenir à son plan. Il les renvoya avec des sacs remplis de grains et aucun des frères ne devina qui il était.

Ils s'éloignaient, soupirant de soulagement, lorsque quelque chose d'affreux arriva.

Stop ! cria l'un des serviteurs de Joseph, galopant à leur poursuite. *L'un d'entre vous a certainement volé la belle coupe d'argent de mon maître. Le voleur deviendra à tout jamais son esclave.*

Lorsque tous les sacs de grains eurent été fouillés, on trouva la fameuse coupe dans le sac de Benjamin, exactement là où Joseph l'y avait mise secrètement.

Le serviteur ordonna : *Les autres peuvent rentrer chez eux, mais ce garçon vient avec moi.* Lorsqu'il commença à ramener le pauvre Benjamin vers la ville, les dix frères se mirent à pleurer.

Nous ne pouvons pas le laisser. Nous allons tous avec lui !

Judas se jeta aux pieds de Joseph pour implorer sa clémence : *Pitié Seigneur ! Prenez-moi comme esclave à la place de Benjamin. Nous préférerions tous mourir plutôt que de voir notre père attristé par la perte de son fils préféré.* C'est à ce moment-là que Joseph comprit que ses frères avaient changé.

Il se fit reconnaître à eux et leur dit : *Autrefois, vous avait fait le mal en me vendant à des marchands d'esclaves, mais* **Dieu a changé le mal en bien**. *Aujourd'hui, grâce à lui, vous avez la vie sauve. Retournez à la maison et retrouvez mon père ainsi que le reste de la tribu ; puis revenez ici et vivez avec moi en Egypte afin que je prenne soin de vous tous.*

Exode 1, 2 : 1-10

LE BEBE DANS LE PANIER

CELA SE PASSAIT quelques centaines d'années après que Joseph eut sauvé l'Egypte de la famine. Jacob et ses fils étaient morts, mais ils avaient eu tant d'arrière arrière petits-enfants que des millions d'entre eux vivaient maintenant en Egypte, et on les appelait Juifs.

Un nouveau pharaon dirigeait maintenant le pays, et il n'avait jamais entendu parler de Joseph. Un jour, il se promenait sur le Nil dans son bateau aux vives couleurs. *Ces Juifs sont beaucoup trop nombreux,* grogna-t-il. *Ils vivent sur les meilleures terres de mon royaume. Regardez un peu leurs troupeaux comme ils sont nombreux et gras ! Il faut que je me débarrasse d'eux. Ils pourraient un jour se retourner contre nous et nous attaquer ! Et puis, j'ai besoin de leurs terres pour construire.*

Il se mit à hurler depuis son embarcation : *Je vais vous réduire à l'état d'esclaves ! Vous travaillerez si dur que bientôt vous en mourrez.*

Jour après jour, sous le soleil brûlant, les pauvres Juifs furent brutalisés par les Egyptiens qui aimaient manier le fouet. On ne leur donna pratiquement plus de nourriture, bien qu'on les força à construire des villes, des palais et même des pyramides.

Ils sont encore trop nombreux, grogna Pharaon. *Soldats ! A chaque naissance de bébé juif, je veux que vous vérifiez. Si c'est un garçon, j'exige que vous le jetiez à la rivière !*

Les pauvres Juifs se mirent à implorer leur Dieu en pleurant : *Oh Dieu, aide-nous !*

Dieu les entendit.

Un jour, dans la petite hutte d'un esclave, un bébé vit le jour. C'était un garçon.

Nous ne pouvons pas le laisser noyer ! sanglota sa mère. *Mais si nous le gardons ici, les soldats vont sûrement le repérer par leurs espions.*

Alors elle fit un berceau flottant pour l'enfant, à partir d'un panier étanche. Le matin, bien avant que tous soient éveillés, elle et sa fille se faufilèrent jusqu'à la rivière et cachèrent le panier parmi les roseaux. Miriam, la sœur du bébé, resta là à faire le guet.

Le doux clapotis de l'eau ne tarda pas à endormir le bébé, et Miriam commença à tresser une natte de jonc. Puis, subitement, elle fut pétrifiée de peur. Quelqu'un approchait. Du chemin qui venait au palais, apparut la princesse, la fille de Pharaon. La pauvre Miriam tremblait en regardant la princesse se glisser dans l'eau et nager.

Qu'est-ce donc ? Traverse et va me chercher ce drôle de petit panier ! ordonna la princesse à l'une de ses servantes. A ces mots, Miriam ferma les yeux, horrifiée.

Oh regardez ! s'exclama la princesse. *Quel adorable petit bébé ! Je ne laisserai pas mon père noyer celui-là ! Il sera à moi pour toujours.*

Juste à cet instant, l'enfant commença à pleurer. *Oh le pauvre petit chéri,* dit la princesse songeuse, *il a probablement faim.*

Miriam, pleine de courage nouveau, sortit de sa cachette et dit : *Voudriez-vous que je trouve quelqu'un pour s'occuper de votre bébé ?*

Certainement ! lança la princesse. Elle était ravie de trouver quelqu'un qui puisse le nourrir.

Bien sûr, Miriam courut aussitôt, et directement, chercher sa mère, qui prit soin de l'enfant. On lui donna le nom de Moïse et c'est ainsi qu'il grandit au palais royal. Sa mère lui parla du secret concernant le pays magnifique que Dieu avait promis de donner un jour à sa famille. *Tu dois grandir et devenir un prince intelligent et puissant mon fils,* murmurait-elle. *Alors, toi qui a été sauvé miraculeusement, tu pourras sauver ton peuple de l'esclavage et le ramener dans son propre pays.*

Exode 2, 3, 4

LE PRINCE EN FUITE

LE PRINCE MOÏSE se promenait fièrement dans son char. Il allait voir comment les esclaves juifs étaient traités. Moïse appréciait d'être un prince. Il montait de rapides chevaux, portait de beaux vêtements et mangeait de la nourriture exquise. Il avait très bien réussi à l'école, et tous reconnaissaient qu'il était courageux, puissant et intelligent.

Je suis prêt maintenant à aider mon peuple ! pensa-t-il. Mais il était si fier de lui qu'il oublia de demander à Dieu ce qu'il devait faire.

Alors que son char avançait à travers un chantier boueux, il fut horrifié à la vue des esclaves. Il ne les imaginait pas si pauvres ni si maigres. Un vieil homme, fatigué, ne pouvait plus porter sa charge de lourdes briques ; il s'écroula. Moïse fut

furieux lorsqu'il vit un Egyptien le battre cruellement à coups de fouet. Personne ne semblait observer la scène, aussi sauta-t-il de son char, prit le poignard à sa ceinture et tua l'Egyptien.

Maintenant mon peuple saura que je suis venu le sauver ! pensa Moïse avec emphase, en poussant l'Egyptien dans un trou et en le recouvrant de sable. Mais il se trompait.

Qui t'a proposé d'être notre chef ? demandèrent les esclaves, et l'un d'entre eux, qui avait vu Moïse frapper l'Egyptien, le dénonça au Pharaon.

Le Pharaon fut très en colère. Il souhaita que Moïse soit châtié de façon exemplaire.

Moïse s'enfuit pour se cacher dans un endroit désert. Il n'y avait rien dans ce lieu, excepté du sable et des rochers, et le fier prince devint un simple et pauvre berger. Les années passèrent.

Une chose merveilleuse s'était pourtant produite chez Moïse. Alors qu'il errait çà et là dans le désert, il apprit à connaître et à aimer Dieu.

Un jour il se mit à penser : *Je suis vraiment heureux ici, mais j'espère que ma sœur Miriam et mon frère Aaron sont sains et saufs en Egypte. Après tout, je n'ai jamais rien fait pour aider les esclaves.*

C'est alors qu'il vit brûler un feu étrange sur le Mont Sinaï, la plus haute montagne du désert. Comme il s'en approchait, une voix profonde lui parla du cœur des flammes : *Moïse !*

Qui est là ? répondit Moïse nerveusement.

La voix se fit à nouveau entendre : *Je suis Dieu ! J'ai vu comment mon peuple était cruellement traité en Egypte et j'ai entendu ses appels au secours. Va dire au roi de les libérer.*

Moi ? s'exclama Moïse horrifié. *Mais je ne suis qu'un vieux berger. Le roi ne m'écoutera pas.*

Dieu insista : *Je l'obligerai à écouter ! Alors tu ramèneras les esclaves dans le pays que je leur ai toujours promis.* **Je suis l'Eternel Dieu !**

Mais j'ai vécu si longtemps tout seul que j'ai oublié comment parler aux gens ! protesta Moïse.

Je te dirai ce que tu devras dire ! répondit Dieu. *Et j'ai demandé à ton frère Aaron de t'aider. Il est déjà en route pour te rencontrer ici.*

Moïse arrêta alors d'argumenter et, rassemblant son troupeau, il commença le long chemin de retour vers l'Egypte.

Exode 5, 6, 7, 8, 9, 10

TROP DE GRENOUILLES

Qu'est-ce que c'est ! brailla Pharaon de son trône, baissant le regard vers Moïse et Aaron.

Le Seigneur Dieu dit : Laisse partir mon peuple ! répétèrent-ils.

Qui est ce Seigneur Dieu ? se moqua Pharaon. *Je n'en ai jamais entendu parler. Et si je laisse partir les esclaves, qui fera alors tout le travail ? Vous, les Juifs, vous êtes des paresseux. A partir de ce jour, vous aurez deux fois plus de travail et je vous ferai battre encore plus durement.*

Bientôt, les pauvres Juifs furent si fatigués et si effrayés qu'ils ne voulurent plus penser à Dieu ni au pays promis.

Qu'est-ce qui n'a pas marché, Seigneur ? demanda Moïse désespéré. Dieu répondit : *Ce que je suis sur le point de faire, montrera à chacun combien je suis puissant en réalité. Va sur le Nil, tôt le matin, lorsque Pharaon se baigne, et dis-lui que de terribles choses vont arriver en Egypte jusqu'à ce qu'il laisse partir mon peuple.*

Le Pharaon se moqua de ces avertissements. Mais dès qu'il trempa la pointe des pieds dans le fleuve, il réalisa que Dieu avait changé son eau en sang. Personne en Egypte n'eut à boire pendant des jours, tous les poissons moururent et cela sentit horriblement mauvais.

Puis Dieu envoya des millions de grenouilles. Elles grimpèrent dans le lit de Pharaon et le chatouillèrent ; elles sautèrent sur la table du dîner et plongèrent dans sa soupe. On ne pouvait plus faire un pas sans tomber sur des grenouilles.

Moïse ! tonna Pharaon. *Dis à ton Dieu d'éloigner ces grenouilles et ton peuple pourra partir !* Mais dès que les grenouilles eurent disparu, il changea d'avis.

Puis apparurent des nuages de méchantes mouches et elles piquèrent les Egyptiens partout. Pharaon se gratta jusqu'au sang. Bientôt les animaux de ferme moururent. Le Pharaon fut furieux, mais il ne changea pas d'avis pour autant.

Ensuite, vinrent des tempêtes. Les grêlons étaient si gros qu'ils cassèrent les arbres et ceux-ci s'écroulèrent sur le toit des maisons. Réfugié sous une table, Pharaon était terrifié par les éclairs : *Je regrette d'avoir été si méchant,* cria-t-il à Moïse d'une voix aiguë. *S'il te plaît, demande à Dieu d'arrêter la tempête et les esclaves pourront partir.*

Moïse répondit : *Lorsque je prierai, la tempête s'arrêtera, alors tu sauras que la terre entière appartient au Seigneur.* Mais lorsque le tonnerre se tût, Pharaon changea à nouveau d'avis.

Alors vinrent des sauterelles. Elles mangèrent toutes les plantes, les feuilles et l'herbe, et après leur passage, l'Egypte ressembla à un désert.

Dans le palais, les gens les plus importants du pays s'étaient rassemblés. Ils conseillaient le Pharaon : *Laissez partir les Juifs, Majesté ! Ne réalisez-vous pas qu'il n'y a plus rien à manger ; nous sommes ruinés !*

Dès que Pharaon eut demandé à Moïse de prier, Dieu envoya du vent pour chasser les sauterelles. Puis Pharaon murmura : *Bien ! Maintenant, les esclaves resteront.*

Dieu était maintenant très en colère contre Pharaon, alors il empêcha le soleil de briller et il fit constamment nuit. Pharaon et tous les Egyptiens furent épouvantés par l'obscurité, alors qu'ils marchaient à l'aveuglette et se bousculaient les uns les autres.

Cette fois les esclaves peuvent réellement s'en aller ! cria Pharaon, mais dès que le soleil eut brillé de nouveau, il oublia sa promesse.

Moise avertit une dernière fois le roi : *Sois très prudent, Pharaon !* **On ne conteste pas le Dieu de l'Univers**, *ou bien il devra faire quelque chose de si affreux que tous, en Egypte, pleureront.*

Le Pharaon haussa les épaules et tourna le dos à Moïse.

Exode 11,12

DU SANG SUR LA PORTE

DÉPÊCHEZ-VOUS, emballez tout. Nous partons ! dirent Moïse et Aaron aux esclaves.

Mais Pharaon n'a pas dit que nous pouvions le faire ! répondirent-ils nerveusement.

Moïse confia, avec tristesse : *D'ici demain matin, il nous suppliera de partir ; cette nuit, Dieu va parcourir le pays et le fils aîné de chaque famille mourra.*

Et nos enfants ? hoquetèrent les esclaves, le souffle coupé.

Dieu gardera vos enfants, mais voilà ce que vous devrez faire. Chaque famille doit choisir son meilleur agneau, le tuer dans la soirée et peindre ensuite les linteaux de la porte avec son sang. Lorsque Dieu verra ce sang, il épargnera vos maisons.

Des choses si terribles étaient survenues que les Egyptiens avaient vraiment peur cette fois-ci. Ils savaient que Dieu était plus puissant que Pharaon et attendaient impatiemment que le roi laisse partir les esclaves. Alors ils furent très contents lorsqu'ils virent ceux-ci se dépêcher d'emballer toutes leurs affaires : *Enfin, ils s'en vont ! Offrons-leur des cadeaux, des bijoux et nos plus beaux habits.*

Cette nuit-là, les esclaves mangèrent autant qu'ils le purent, mais ils mangèrent debout, leurs chaussures de marche aux pieds et leurs lampes à la main. Le garçon le plus âgé de chaque famille a dû être très inquiet : *Etes-vous sûrs que Dieu va épargner notre maison ?*

Leurs pères répondaient : *Bien sûr, l'agneau est mort à votre place.*

Lorsque, au milieu de la nuit, tout fut silencieux, on entendit soudain un cri terrible dans le palais. Pharaon avait découvert que le prince, son fils aîné, était mort.

Pourquoi n'ai-je pas écouté Moïse ? se lamenta-t-il. Bientôt les gens de chaque maison d'Egypte pleurèrent aussi leurs fils.

Partez ! hurla Pharaon. Alors tous les Juifs sortirent de leurs huttes d'esclaves et se mirent en route pour la Terre Promise.

Les pères dirigeaient les brebis et les chèvres répartis en petits troupeaux. Les grand-mères aidaient les petits enfants et les mères portaient les bébés. Tous les autres transportaient sur leur dos tout ce qu'ils pouvaient, emballé dans des couvertures.

La nuit venue, chaque famille monta une tente et alluma un feu pour cuire le souper, et comme les enfants s'allongeaient pour regarder les étoiles, ils songèrent qu'ils n'avaient jamais été aussi heureux de toute leur vie. Ils se disaient : **Dieu est là, avec nous !**

Mais malheureusement, ce bonheur ne dura pas longtemps.

Exode 13 : 20-22 ; 14

TRAVERSER LA MER

AU PETIT MATIN, quelqu'un demanda à Moïse : *Comment allons-nous pouvoir trouver notre chemin vers le pays promis ?*

Moïse répliqua : *Dieu ne nous laissera pas nous perdre ! Regardez !*

Là, devant eux, se tenait un immense nuage. On aurait plutôt dit la fumée d'un feu de joie montant jusqu'au ciel. Le nuage se déplaçait devant eux lorsqu'ils avançaient, et s'arrêtait lorsqu'il était l'heure de se reposer. La nuit, il brillait comme un feu et éclairait tous ceux qui se trouvaient dans le camp. Plus personne n'avait peur de l'obscurité.

Après quelques jours, le nuage les conduisit jusqu'au bord de la mer. Les enfants des esclaves

n'étaient jamais allés si loin ; ils s'amusaient beaucoup à patauger et à faire des châteaux de sable. Les pères et les mères prirent des bains de soleil et les animaux s'allongèrent pour se reposer.

Puis, soudain, très loin derrière eux, ils entendirent un grondement. Tout le monde se remit debout avec terreur ; ils savaient exactement ce que c'était. Pharaon avait encore changé d'avis et les poursuivait avec des milliers de soldats. L'armée de Pharaon s'approcha de plus en plus près, jusqu'à ce que les Juifs purent voir galoper les chevaux guerriers et briller l'éclat du soleil sur les épées aiguisées.

Nous sommes pris au piège ! se lamentèrent-ils. Devant eux, il y avait la mer, de hautes montagnes s'élevaient de chaque côté, et derrière eux arrivaient Pharaon et toute son armée.

Tu n'aurais jamais dû nous faire sortir d'Egypte, Moïse ! sanglotèrent-ils tous en se précipitant de ci de là, tombant les uns sur les autres dans leur panique.

Tenez-vous tranquilles ! tonna Moïse. *Et laissez Dieu combattre les Egyptiens pour vous.* Soudain, tous réalisèrent que le nuage avait bougé. Il était maintenant derrière eux, masquant la vue aux soldats de Pharaon, de sorte que ceux-ci ne voyaient pas où ils chargeaient.

En avant ! cria Moïse en levant son bâton de berger au-dessus des vagues.

Le peuple protesta : *Nous ne pouvons pas avancer droit dans la mer ! Nous n'avons pas de bateaux, nous allons nous noyer !*

Ils virent alors quelque chose d'incroyable. Un vent terrible traçait pour eux un chemin à travers la mer. Deux grandes montagnes d'eau s'élevaient de chaque côté et ils s'engouffrèrent aussitôt, et en parfaite sécurité, dans cette brèche mouvante. Il fallut la nuit entière pour que tous atteignent l'autre côté, et lorsque le jour vint, Pharaon aborda la plage.

Il hurla son dernier ordre : *Poursuivez-les !* Les chevaux, ainsi que les chars, foncèrent dans la boue. Les Egyptiens étaient à la moitié du chemin dans la mer lorsque le dernier Juif atteignit le rivage de l'autre côté. Les roues des chars s'enfonçaient dans la boue molle et les sabots des chevaux s'y trouvèrent pris également. Les soldats commencèrent à paniquer.

Ils se mirent à crier : *Faisons demi-tour !* Hélas, il était trop tard. Les vagues déferlèrent par-dessus leurs têtes et bientôt toute l'armée égyptienne fut perdue.

Les esclaves reconnurent : *Nous savons maintenant que* **Dieu nous a réellement libérés**. *Pharaon et ses soldats ne se montreront plus jamais cruels envers nous.*

Exode 15, 16, 17

DANGER !

LE PEUPLE MURMURAIT : *Pourquoi Dieu nous emmène-t-il à travers ce désert ? C'est un lieu dangereux et il n'y a pas assez de nourriture ni d'eau à proximité pour le grand nombre de personnes que nous sommes.*

Dieu veut vous montrer combien il peut prendre soin de vous ! répondit Moïse.

Le peuple se plaignait : *Mais nous n'avons pas eu d'eau depuis trois jours ! Bientôt nous mourrons de soif.*

Juste à cet instant, quelqu'un remarqua une petite mare sur la colline et ils s'y précipitèrent tous, munis de leurs tasses.

Ouah ! Nous ne pouvons pas boire cette eau ! crièrent-ils avec dégoût. *Elle est terriblement mauvaise.* Même les animaux s'éloignèrent de l'eau non-potable, comme infectée, et les enfants commencèrent à pleurer. Avec colère, les pères se tournèrent vers Moïse, mais il était occupé à prier.

Il y a un arbre par là, lui dit Dieu. *Si tu le coupes et le jettes dans la mare, l'eau deviendra excellente.*

Voilà, vous voyez, fit remarquer Moïse alors que tous buvaient l'eau fraîche. *Dieu prend toujours soin de son peuple.*

Mais les Juifs n'étaient toujours pas certains de pouvoir vraiment faire confiance à Dieu.

Le nuage tourbillonnant s'enfonça de plus en plus profondément dans le désert et jour après jour, le peuple suivait péniblement derrière lui. Il n'y avait pas de magasins, juste du sable et des rochers, aussi furent-ils bientôt à court de nourriture.

A nouveau, le peuple rouspéta : *Nous avons faim ! Pourquoi avons-nous un jour quitté l'Egypte ?* Ils ne pensaient jamais à demander de l'aide à Dieu et cela rendit l'Eternel très triste. Mais lorsque Moïse pria, Dieu répondit de façon merveilleuse.

Tôt le lendemain matin, le sol était couvert de quelque chose qui ressemblait à des petites graines

blanches. Elles étaient délicieuses, comme des biscuits au miel.

Levez-vous, lança Moïse, *et ramassez la quantité nécessaire pour aujourd'hui.* Les petites graines, appelées manne, apparurent tous les matins jusqu'à ce qu'ils arrivent au pays de Canaan.

Cependant, la faim et la soif n'étaient pas les seuls dangers du désert. Derrière les rochers déchiquetés, des hommes de tribus farouches guettaient. Ils n'appréciaient pas que les Juifs marchent dans leur désert et ils désiraient les bijoux égyptiens. Ils bondirent de derrière les rochers et commencèrent à frapper de leurs haches et de leurs épées, les gens en queue de file.

Moïse entendit des cris affreux, et alarmé, regarda ce qui se passait. *Vite Josué,* dit-il au jeune homme le plus courageux qu'il connaissait, *choisis quelques hommes solides et, pendant que vous combattrez, je grimperai sur cette haute montagne. Là, je demanderai de l'aide à Dieu.*

Les voleurs étaient grands et forts. Ils savaient se battre. Josué et ses hommes n'étaient pas des vrais soldats ; ils n'avaient jamais été que des esclaves et des bergers. Cependant, ils savaient que là-haut, au-dessus d'eux, Moïse priait, alors ils se battirent courageusement. Au moment où le soleil baissait dans le ciel, les voleurs furent vaincus. Toute la nuit, le peuple remercia Dieu, car il savait que **Dieu avait gagné la bataille pour eux**.

Exode 19,20

LA MONTAGNE GRONDE

C'ÉTAIT LA MONTAGNE la plus haute que les Juifs aient jamais vue. Elle s'élevait telle une tour au-dessus du désert sec et plat. Le Mont Sinaï, semblait presque atteindre le ciel.

C'est là que Dieu m'a parlé la première fois, leur confia Moïse. *Maintenant, Dieu veut vous parler, ici sur le Sinaï.*

Mais le peuple était terrifié à cette pensée, car à ce moment-là, il ne connaissait pas très bien Dieu. Aussi, rassemblés au pied de la grande montagne, les Juifs avaient si peur qu'ils en claquaient des dents.

Un impressionnant et sombre nuage couvrit le sommet de la montagne. Du feu sortit du milieu des rochers, lesquels grondèrent et tremblèrent. La voix de Dieu retentit soudain dans le désert silencieux, et tous, dans leur frayeur, se cramponnèrent les uns aux autres.

Cependant, Dieu voulait simplement leur dire qu'il les aimait. Il annonça : *La terre entière m'appartient, mais je vous ai choisis pour être un peuple différent : mon peuple. Vous proclamerez au monde entier qui je suis.*

Il leur parla du pays magnifique qu'il leur donnerait et leur indiqua des commandements à suivre lorsqu'ils y seraient. On n'est jamais heureux lorsque l'on fait de mauvaises choses, et Dieu voulait leur bonheur. Aussi il leur ordonna de ne pas tuer, ni mentir ou jurer. Ils devraient avoir un jour de repos par semaine et être bons envers leurs parents. Ils ne devraient pas même désirer ce qui appartient à autrui, et assurément ne pas le voler. Par-dessus tout, Dieu désirait leur amour et qu'ils sachent que lui-même les aimait aussi. C'est pourquoi ils ne devraient jamais, au grand jamais, fabriquer de faux dieux tels qu'ils en avaient vus en Egypte.

Dieu demanda : *Allez-vous faire alliance avec moi ?* **Je promets de prendre soin de vous** *et de vos enfants à jamais si vous promettez de m'aimer et de garder mes commandements.*

Nous le promettons ! assurèrent-ils tous.

Dieu avertit : *Si vous rompez votre promesse, attendez-vous à des problèmes.*

Nous ne romprons jamais, jamais, notre promesse, dirent-ils.

Exode 32 ; Deutéronome 9 ; la tente de Dieu est décrite dans Exode 25-31, 35-40

LE VEAU D'OR

UN JOUR, MOÏSE annonca au peuple : *Je retourne seul au sommet de la montagne, Dieu veut me dire comment nous devrions vivre dans notre nouveau pays. J'écrirai dans un livre ses Paroles afin que nous ne les oublions jamais.*

Bien sûr, il n'y avait pas de papier dans le désert, aussi Moïse prit, à la place, de grandes pierres plates.

C'est incroyable qu'il ose y remonter tout seul ! murmura le peuple. Jour après jour, ils regardaient la montagne, mais Moïse n'en revenait pas.

Peut-être est-il mort ! émit quelqu'un. Bientôt ils se tinrent tous en petits groupes devant leurs tentes. Chacun se mit à penser à haute voix : *Peut-être Dieu ne nous aime-t-il pas après tout ? Que va-t-il advenir de nous, perdus seuls dans le désert ?*

Nous avons besoin d'un dieu que nous pouvons voir, et consulter. Comme il y en a en Egypte.

Leurs dieux étaient si beaux ! Souvenez-vous de l'or et des joyaux.

Nous pourrions nous faire un dieu comme cela avec ce que les Egyptiens nous ont donné ! suggéra quelqu'un. Ils pensèrent tous que c'était une excellente idée. Ils avaient déjà oublié leur promesse envers Dieu !

Bientôt, ils eurent fabriqué un grand veau recouvert d'or. *Il sera notre dieu maintenant !* proclamèrent-ils et ils commencèrent à danser, à chanter et à offrir des cadeaux. Dieu fut triste lorsqu'il les vit.

Soudain quelqu'un cria : *Regardez !* La musique s'arrêta et les danseurs se figèrent comme des statues. Là, Moïse descendait de la montagne et venait vers eux, l'air terriblement fâché.

Qu'avez-vous donc fait ? tonna-t-il d'une voix terrifiante. Et, jetant à terre les livres de pierre, il les brisa en petits morceaux. *Vous avez donc déjà rompu votre alliance avec Dieu !*

Sans pitié, brutalement, il réduisit le veau d'or en poussière, mélangea celle-ci à de l'eau, et obligea le peuple à boire tout le mélange. Beaucoup moururent le jour même, et les autres se blottirent sous leurs tentes en pleurant amèrement. Moïse lui-même s'étendit la face contre terre et ne bougea plus pendant des jours.

Au début, Dieu fut si triste et si en colère qu'il voulut punir le peuple. Mais lorsque Moïse pria, il leur pardonna.

Tristement Moïse grimpa de nouveau au sommet de la montagne avec de nouvelles pierres plates. Et lorsqu'il redescendit, il apportait une étonnante nouvelle : *Dieu veut que nous lui fassions une très grande tente, un temple démontable. Nous devons commencer le travail tout de suite.*

Il leur fallut des mois pour faire cette tente. A la fin, ils la regardèrent tous avec émerveillement. Cela devait être la tente la plus grande et la plus magnifique du monde.

Ce qu'elle contenait de plus précieux était une boîte en or appelée Arche. Elle renfermait les tables de pierre écrites par Moïse sur la montagne, la toute première Bible.

Soudain, le nuage aveuglant et brillant qui avait conduit le peuple hors d'Egypte apparut et s'arrêta au-dessus de la tente afin de manifester la présence de Dieu.

Les hommes, les femmes et les enfants reconnurent : **Dieu nous aime vraiment**, *et maintenant nous pouvons lui parler, et lui offrir des cadeaux lorsque nous le voudrons.* Ils retournèrent tout heureux sous leurs tentes.

Nombres 13, 14

DES ECLAIREURS EFFRAYES

LE NUAGE BOUGE ! Lorsque ce cri retentit dans le camp, chacun s'affaira à démonter et à empaqueter sa tente. Enfin, après de longs mois, on allait quitter le Mont Sinaï.

L'interminable procession commença à se former derrière la colonne nuageuse. D'abord venaient les prêtres, la famille d'Aaron, portant le coffre en or qu'ils appelaient l'Arche. Elle était devant le peuple pour qu'il n'oublie pas le pacte fait avec Dieu, ni la promesse divine de veiller sur eux.

Cependant, alors qu'ils marchaient derrière l'Arche, les Juifs devinrent de plus en plus nerveux : *Il doit y avoir des gens qui vivent déjà là-bas ! Supposons qu'ils nous combattent ?*

Lorsqu'enfin ils atteignirent l'extrémité du désert, Moïse cria : *Regardez ! Là-bas ! Au-delà de la rivière se trouve le pays que Dieu vous a donné. Nous allons y entrer et y vivre heureux !*

Envoyons d'abord quelques éclaireurs ! suggéra le peuple avec précaution. *Qu'ils nous disent de quoi les habitants ont l'air.*

Moïse approuva : *D'accord. Choisissez douze jeunes hommes.*

Deux de ces éclaireurs seulement faisaient vraiment confiance à Dieu ; les dix autres étaient plutôt effrayés.

Après avoir attendu des semaines le retour des éclaireurs, le peuple les vit enfin revenir : *Dites-nous vite à quoi ressemble le pays !* insistèrent-ils en les pressant de questions.

C'est magnifique ! dirent Josué et Caleb, mais les autres les interrompirent. Ils étaient si effrayés qu'ils inventèrent des mensonges qui remplirent les Juifs de terreur : *Les gens de Canaan sont des géants,* mentirent-ils. *Ils sont beaucoup plus forts que nous, et ils vivent dans de grandes villes entourées de hautes murailles. Vraiment, ce pays n'est pas du tout un bon endroit. Peut-être n'est-ce pas la peine d'y aller. Comment pourrait-il y avoir assez de nourriture pour nous tous ? Nous n'y avons vu aucun champ de céréales.*

Mais Josué et Caleb protestèrent : *Regardez ces fruits que nous avons rapportés. Ce peuple est réellement grand et fort, mais Dieu a dit qu'il nous donnerait ce pays.* **Dieu est à nos côtés**, *c'est pourquoi il nous aidera à les combattre. Ne vous rappelez-vous pas ce qui est arrivé à Pharaon et à son armée ?*

Mais le peuple avait si peur qu'il préféra écouter les autres éclaireurs et il commença à jeter des pierres sur Josué et Caleb.

Tous les hommes hurlaient : *Moïse nous a raconté des mensonges ! Nous n'aurions jamais dû l'écouter et quitter l'Egypte. Nous allons maintenant trouver un nouveau chef et y retourner.*

Si Moïse n'avait pas aussitôt demandé pardon à Dieu pour eux, l'Eternel les aurait certainement détruits sur-le-champ, tant il était blessé et déçu.

Dieu déclara alors : *Aucun de ces esclaves ne vivra dans le pays promis. Ils doivent retourner dans le désert pendant quarante ans jusqu'à ce qu'ils deviennent vieux et meurent. Alors je conduirai leurs enfants et leurs petits-enfants dans Canaan. Josué et Caleb seulement vivront assez longtemps pour voir le pays promis.*

Avant la nuit, les dix éclaireurs effrayés étaient tous morts et le peuple vint à la tente du Seigneur pour lui dire combien ils regrettaient. Mais déjà, le nuage les ramenait au désert.

Josué 3, 6

LES MURS DE JERICHO

PENDANT QUARANTE ANS, le peuple de Canaan avait été préoccupé. Il savait que les Juifs se trouvaient à proximité, dans le désert, prêts à envahir leur pays. *Pourquoi attendent-ils si longtemps ?* se demandaient-ils les uns aux autres.

Ces Cananéens étaient de très mauvaises gens. Ils en venaient même à jeter et brûler des bébés dans des feux lors d'étranges sacrifices. Ils pensaient être ainsi agréables à leurs dieux, mais cela mettait le vrai Dieu en colère.

Ces gens sont trop cruels ! déclare Dieu. *Il est grand temps que je donne leur pays aux Juifs, comme je l'ai toujours promis.*

Un jour, les Cananéens hurlèrent : *Ils arrivent ! Regardez, leur nuage vient vers nous.*

Ils ne passeront jamais le Jourdain ! se dirent-ils les uns aux autres. *Il est beaucoup trop large et trop profond.*

Mais comme ils regardaient les prêtres entrer dans l'eau en portant l'Arche, la rivière s'arrêta de couler et tous les Juifs traversèrent dans la boue comme Dieu le leur avait dit.

Courons dans Jéricho nous y protéger ! crièrent les Cananéens. *Les murs en sont si épais que nous y serons en sécurité.*

Alors que les énormes portes de fer grinçaient en se refermant, les Cananéens se sentirent bien mieux, et après trois jours où rien ne se passa, ils commencèrent à rire !

Ils ont peur ! dirent-ils. Mais ils se trompaient. Les Juifs avaient appris à **faire confiance à Dieu** pendant ces quarante longues années dans le désert, et ils ne faisaient qu'attendre ses instructions. Josué était leur chef, maintenant que Moïse était mort ; le peuple savait que Dieu était avec lui comme il avait été avec Moïse.

Un matin, les Cananéens furent réveillés par un bruit étrange. *Les Juifs marchent autour de notre ville,* observèrent-ils. *Ils portent un drôle de coffre en or et ils sonnent de leurs trompettes.*

Chaque jour, pendant une semaine, la même chose se produisit et les Cananéens commencèrent à devenir nerveux. Ils se demandaient : *Que peuvent-ils bien essayer de faire ?*

Le septième jour, Dieu ordonna aux Juifs de faire le tour de la ville, non pas une, mais sept fois. Puis ils devaient faire autant de bruit que possible. Alors qu'ils criaient et sonnaient de leurs trompettes avec force, les grandes murailles commencèrent à vibrer et à trembler. D'énormes fissures apparurent entre les briques. Les Cananéens furent horrifiés.

Enfin, dans un terrible craquement de tonnerre, tous les remparts s'écroulèrent. Les gens à l'intérieur étaient beaucoup trop effrayés pour combattre, et tout ce que les Juifs eurent à faire fut d'entrer dans Jéricho et de prendre la ville.

Après de nombreuses batailles et beaucoup d'aventures, le pays entier fut ainsi conquis par les Juifs. Josué donna à chacun une petite ferme et une terre. *C'est magnifique !* dirent-ils, en regardant les champs verts et les fruits savoureux.

Josué dit aux prêtres de placer la tente de Dieu sur le sommet d'une haute colline. Puis il rassembla tout le monde et dit : *Dieu a été bon envers vous. Vous êtes maintenant en sécurité ici, allez-vous tenir votre promesse envers lui ?*

Oui, bien-sûr ! crièrent-ils.

Et vous ne commencerez pas à adorer de faux dieux ? insista Josué.

Jamais ! répliquèrent-ils tous.

Mais tenir une promesse n'est jamais facile. La suite de l'histoire le prouvera.

Juges 6, 7, 8

ATTAQUE DE NUIT

LA PLUPART DES GENS en Israël pensaient qu'il était stupide d'aimer Dieu, alors que tous les autres peuples, ou presque, préféraient Baal. D'affreuses statues de ce faux dieu étaient placées sur les collines et sous de grands arbres, dans tout le pays.

Cela se passait bien après que le peuple eut conclu une alliance avec Dieu. Maintenant, tout le monde avait oublié cette promesse, et Dieu avait cessé de prendre soin de ce peuple ingrat.

Depuis le désert, au-delà de la rivière, arrivèrent des milliers de voleurs, les Madianites. Ils montaient de rapides chameaux et s'abattaient sur les petites fermes, dérobant les animaux et le grain. Bientôt, il n'y eut plus rien à manger. Les gens se cachèrent dans des grottes.

Gédéon était le plus jeune de sa famille et il était peureux. Il était si terrifié qu'il se réfugia sous un chêne. Alors qu'il était là blotti, un ange lui parla : **Dieu est avec toi**, *homme courageux !*

Personne n'avait jamais traité Gédéon ainsi auparavant ! Et l'ange continua : *Dieu t'envoie chasser les Madianites hors de ce pays !*

Moi ? s'exclama Gédéon avec stupeur.

Dieu semble souvent se servir de personnes faibles et pas forcément courageuses pour accomplir sa volonté.

Dieu t'aidera ! répondit l'ange.

Rapidement, dans tout le pays, on parla de Gédéon. On commença à penser à lui comme à un chef possible. C'est alors que les Madianites traversèrent le Jourdain et ils installèrent leur armée dans une vallée encaissée.

Pendant ce temps, des milliers de personnes sortirent de leurs cachettes pour rejoindre Gédéon, tandis que Dieu donna d'étranges consignes. Il voulait que Gédéon renvoie chez eux la plupart de ces nouveaux venus. Il déclara : *Je veux seulement trois cents hommes !*

Gédéon, inquiet, protesta : *Mais il y a des milliers de Madianites !*

Dieu répliqua : *Je veux que chacun sache que j'ai gagné cette bataille ! Lorsqu'il fera nuit, toi et tes trois cents hommes irez jusqu'au camp ennemi et vous l'encerclerez. Chaque homme devra porter une torche cachée dans une cruche en terre.*

C'est une drôle de façon d'aller se battre ! pensèrent les hommes de Gédéon. Mais Dieu avait déjà envoyé aux Madianites des rêves si terrifiants qu'ils rampèrent tous sous leurs tentes, effrayés les uns par les autres.

Soudain, tout autour d'eux, les Madianites entendirent un bruit terrifiant. C'étaient les hommes de Gédéon brisant leurs cruches sur des pierres, mais on aurait dit des chevaux dans une bataille !

Comme les Madianites se ruaient hors de leurs tentes, ils virent briller des lumières sur toutes les collines alentour. *Nous sommes encerclés !* crièrent-ils. Ils ne réalisèrent jamais que ce pouvait être Gédéon et ses trois cents torches. Lorsque les hommes de Gédéon commencèrent à crier, l'écho résonna et multiplia ces cris jusqu'à ce que les Madianites se croient attaqués de tous côtés par des milliers de soldats.

Il faisait si noir qu'ils ne pouvaient pas voir qui les combattaient, alors ils prirent leurs épées et commencèrent à se transpercer les uns les autres. Les rescapés s'enfuirent dans leur pays.

Ils ne reviendront pas de sitôt, dit Gédéon en riant. *Maintenant, brûlons toutes ces statues de Baal !*

Le jeune garçon, qui avait toujours peur, était devenu le chef de tout le peuple.

Juges 13, 15, 16

L'HOMME FORT

SAMSON ÉTAIT L'HOMME LE PLUS FORT qui ait jamais vécu sur terre. Dieu l'avait fait ainsi pour une raison très précise.

Une fois encore les Juifs avaient alors oublié Dieu, et il était si fâché contre eux qu'il laissa venir de terribles ennemis qui dirigèrent le pays. Cette fois, ce n'étaient pas des voleurs errants comme dans le désert, mais de très farouches soldats, les Philistins.

Oh Dieu, nous sommes désolés ! prièrent les Juifs et ils jetèrent leurs statuettes de Baal.

Ce fut alors que vint au monde un bébé tout à fait remarquable.

Avant ta naissance, Samson, lui disait souvent sa mère, *Dieu envoya un ange me dire de ne jamais, jamais, couper tes cheveux, afin que tous voient que tu es quelqu'un de spécial et différent.* **N'oublie jamais ce que Dieu a fait pour toi !**

Bientôt Samson grandit de façon extraordinaire. Il était si fort qu'il commença à terrifier les Philistins. Il parvint à mettre le feu à toutes leurs cultures et à leurs vergers. Le pays tout entier fut embrasé et les Philistins n'eurent plus rien à manger.

Naturellement, ils étaient fous de rage. Aussi, lorsque Samson arriva dans l'une de leurs villes fortifiées pour loger chez un de ses amis, ils fermèrent à clef les lourdes et grandes portes. *Nous le tenons maintenant !* s'exclamèrent-ils satisfaits.

Mais Samson se leva dans la nuit, souleva les portes et les transporta sur la colline à trente-six kilomètres de là !

Les Philistins hurlaient : *Nous devons l'attraper !* Ils envoyèrent toute une armée pour le prendre. Les Juifs étaient si effrayés par cette armée qu'ils attachèrent Samson et le livrèrent à l'ennemi. Mais lorsque Samson vit les Philistins, il rompit les cordes et se rua sur eux. Il n'avait pas d'épée, et remarqua, sur le sol, un os provenant d'une mâchoire d'âne. Le ramassant, il passa à l'attaque. Il était si fort que bientôt un millier de Philistins fut massacré.

Nous ne l'attraperons jamais ! fulminaient les Philistins. Mais finalement ils y parvinrent, et uniquement parce que Samson fut assez fou pour tomber amoureux d'une espionne philistine nommée Dalila.

Dieu avait demandé à son peuple de se marier uniquement entre Juifs, mais Samson n'en tint pas compte. Dalila trompa Samson en lui faisant avouer son grand secret. *Lorsqu'il sera endormi cette nuit, je couperai ses cheveux,* murmura-t-elle aux soldats. *Alors vous pourrez venir chez moi en toute sécurité et vous le capturerez. Il aura perdu sa force !*

Parce qu'il avait désobéi à Dieu, Samson avait, en effet, perdu sa grande force. Ses ennemis lui crevèrent les yeux et l'enfermèrent dans une prison.

Les Philistins étaient si contents qu'ils firent une grande fête sur la terrasse du temple de leur dieu Dagon. Leurs cinq rois invitèrent des milliers de personnes à venir s'amuser et à se moquer du pauvre Samson devenu aveugle. Ils s'esclaffèrent lorsqu'ils le virent arriver, trébuchant, guidé par un jeune garçon ! Mais ils ne savaient pas que Dieu avait pardonné Samson.

Redonne-moi ma force encore une fois seulement ! pria-t-il en entourant de ses bras deux grands piliers qui soutenaient le toit.

Alors, il ressentit une grande puissance et poussa jusqu'à ce que les piliers s'écroulent. Le toit s'effondra et l'enterra avec tous les Philistins.

Privés de leurs rois et de leurs meilleurs combattants, les Philistins laissèrent les Juifs en paix pendant de nombreuses années.

Dieu avait eu besoin d'un homme assez courageux pour sauver son peuple, en mourant pour lui.

L'ETRANGERE

C'ÉTAIT DUR DE VIVRE dans un pays étranger loin de chez soi ! Naomi et son mari avaient quitté leur ferme dans le pays donné par Dieu ; ils pensaient que la vie serait plus facile pour leurs deux fils, dans un autre pays appelé Moab. Mais Naomi ne se sentit jamais heureuse loin du peuple de Dieu, et elle fut très affligée lorsque ses deux fils se marièrent à deux jeunes filles qui ne connaissaient pas l'Eternel.

Puis quelque chose d'horrible arriva. Le mari et les deux fils de Naomi moururent. *Maintenant je suis seule dans un pays étranger,* sanglota-t-elle. *Je ferai tout aussi bien de retourner chez moi à Bethléem.*

Lorsqu'elle quitta Moab pour Bethléem, la femme qui avait épousé son fils aîné lui dit aurevoir. Mais son autre belle-fille, Ruth, l'entoura de ses bras et lui dit : *Je viens avec toi pour que tu ne sois pas seule.*

Tu ne peux pas faire ça ! répliqua Naomi. *Dans mon village, on considère les Moabites comme des ennemis ; les gens pourraient ne pas être très gentils avec toi.*

Mais je ne peux pas te laisser, insista Ruth. *Je me tournerai vers ton Dieu et l'aimerai comme tu l'aimes.*

Personne ne nous aidera à Bethléem ! l'avertit Naomi. *Mais nous serons deux !* sourit Ruth, et elle prit les bagages.

C'était le temps des moissons lorsqu'elles arrivèrent, mais les deux voyageuses, couvertes de poussière, n'avaient plus d'argent pour acheter de quoi manger. *Si seulement nous avions de la farine, nous pourrions faire du pain,* remarqua Ruth. *Demain, j'irai dans les champs et je verrai si je peux ramasser ce que les fermiers auront laissé.*

Naomi s'inquiéta : *Oh non ! Les hommes te feraient du mal, parce que tu viens de Moab et que tu n'as pas de mari qui prenne soin de toi.*

Mais nous allons mourir de faim si je ne fais rien ! répondit Ruth.

Naomi passa tout le jour suivant à prier, assise dans leur hutte précaire. Elle savait combien il serait difficile pour Ruth de travailler des heures entières sous le soleil brûlant, sans nourriture ni eau, sans amies pour lui sourire. Mais elle ne réalisait pas que **personne n'est un étranger pour Dieu**. Il se soucie de chaque personne qui se tourne vers lui. Aussi prit-il soin de Ruth.

Il se trouva qu'elle ramassa des épis dans les champs d'un homme riche appelé Boaz. Et cet

homme la remarqua. Il ne pouvait s'arrêter de la regarder, tant elle était belle : *C'est l'étrangère qui s'est montrée si bonne envers la vieille Naomi, soyez gentils avec cette jeune femme !* ordonna-t-il à ses ouvriers. *Laissez-la boire l'eau de nos cruches et abandonnez, de-ci de-là, quelques épis supplémentaires pour qu'elle puisse les trouver.*

Puis il appela Ruth et partagea avec elle son pique-nique. Elle était si jolie que lui-même ne put presque rien manger.

C'est l'homme le plus gentil que j'aie jamais rencontré ! pensa Ruth, rêveuse, lorsqu'elle rentra à la maison avec une énorme gerbe de blé.

Dieu a dû te conduire justement à ses champs ! fit remarquer Naomi en souriant.

Il ne se passa guère de temps avant que Boaz n'épouse Ruth. Ils prirent Naomi avec eux, dans leur confortable maison sur la colline. La vieille dame fut heureuse le reste de sa vie, tout en aidant Ruth à s'occuper de son petit garçon.

Cette petite famille de Bethléem allait devenir très importante pour l'histoire d'Israël.

1 Samuel 1, 2, 3, 4, 5, 7

UNE VOIX DANS LA NUIT

ANNA ÉTAIT SI TRISTE qu'elle ne pouvait manger. *Je vais aller à la Tente de Dieu,* pensa-t-elle. *Peut-être pourra-t-il faire quelque chose pour m'aider.* Cependant, lorsqu'elle y fut, elle ne put s'empêcher de pleurer.

Que faites-vous ? demanda le prêtre Elie d'une voix dure.

La pauvre Anna sanglota : *Je demande à Dieu un bébé depuis des années. S'il m'en donne un, je promets de le lui ramener pour qu'il travaille ici, pour lui, dès qu'il sera grand.*

Quelques années plus tard, le vieux prêtre la revit ; cette fois, un petit garçon l'accompagnait.

Elle expliqua : *Voici Samuel, le garçon que Dieu m'a donné. Maintenant je le lui rends.*

Le petit Samuel aimait s'occuper de la tente de Dieu, polissant les lampes et balayant les parquets. Il aimait aussi le prêtre Elie ; c'était un vieil homme gentil, même si ses deux fils étaient affreux. Ils n'aimaient pas Dieu et allaient jusqu'à voler les cadeaux que le peuple lui réservait.

Je ne peux pas laisser ces deux-là continuer comme ça ! pensa Dieu sévèrement. *Ils ne sont pas de bons exemples pour mon peuple.*

Par une nuit noire, Samuel entendit une voix l'appeler. D'abord il pensa que c'était Elie et il courut se mettre à son service.

Elie lui dit : *Retourne dans ton lit, mais* **écoute attentivement car c'est Dieu qui te parle**. Samuel n'avait jamais entendu Dieu lui parler ainsi, aussi retourna-t-il inquiet. Il se recoucha sur son matelas, dans un coin de la grande tente.

Dans le silence, la voix se fit de nouveau entendre. C'était vraiment Dieu, et il donna à Samuel un terrible message pour les méchants fils d'Elie.

Un jour, une grande armée de Philistins pénétra dans le pays. Les Juifs furent si effrayés qu'ils dirent : *Nous allons emporter l'Arche de Dieu avec nous sur le champ de bataille. Cela pourrait être utile.*

Dieu était vraiment en colère. Il voulait qu'ils mettent leur confiance en lui, pas dans une boîte, fût-elle en or ! Mais les fils d'Elie ne s'en soucièrent pas et sortirent en portant l'Arche.

Le message que Dieu avait donné à Samuel devint alors réalité. Les fils d'Elie furent tués dans le combat qui suivit, et les Philistins volèrent l'Arche.

Dagon est plus fort que Dieu ! se moquèrent les Philistins en emportant l'Arche dans leur temple et en la plaçant en face de la statue de Dagon, leur dieu.

Mais cette nuit-là une chose étrange arriva. L'énorme statue de Dagon tomba la face contre terre, devant l'Arche, et se brisa en mille morceaux. Les Philistins eurent si peur de l'Arche qu'ils la rendirent très vite aux Juifs !

Lorsque Samuel eut grandi, Dieu le fit prêtre. Samuel déclara : *Venez demander au Seigneur de nous sauver de ces Philistins !*

Des milliers de personnes le suivirent sur une haute colline.

Alors qu'ils priaient, les Philistins les regardaient et ricanaient : *Voilà notre chance ! Attaquons-les pendant qu'ils n'y prêtent pas attention.*

Lorsque les Juifs réalisèrent que les Philistins grimpaient vers eux, ils furent terrifiés. Mais Samuel insista : *Continuez de prier ! Dieu nous aidera.*

C'est alors que Dieu envoya un orage terrible dans la vallée. Les Philistins eurent si peur qu'ils coururent chez eux, laissant les Juifs en paix.

1 Samuel 17 : 34-36 ; 8 : 4-7 ; 16 : 1-13

PLUS FORT QUE LE LION

IL FAISAIT TRÈS SOMBRE là-haut sur les collines, au-dessus de Bethléem. David, le jeune berger jouait doucement de la harpe et chantait à Dieu tout en gardant les troupeaux de son père. Loin là-bas dans la vallée, les lumières de sa maison brillaient. Son arrière grand-père, Boaz, avait construit cette maison pour Ruth, mais là, sur les collines, David était bien seul.

Soudain, une petite branche craqua dans les buissons ; deux yeux jaunes et farouches brillèrent dans le noir. L'instant d'après, un lion énorme bondit sur l'un des agneaux de David.

David se dressa avec colère. Il n'eut pas le temps de prendre sa fronde ; il se jeta courageusement sur le lion, et bientôt la féroce créature fut étendue morte. David réconforta son agneau et pensa : *Mes frères ne le croiront jamais !* En effet, il avait sept grands frères qui ne lui prêtaient jamais attention.

Le jour suivant, le prêtre Samuel arriva dans le village de Bethléem. La raison de sa venue restait secrète.

Samuel était maintenant un vieil homme. Il avait bien conduit le peuple durant toute sa vie, mais celui-ci continuait à réclamer un roi. **Dieu n'est-il pas votre roi ?** leur demandait Samuel.

Ils continuaient cependant à en vouloir un autre, et finalement Dieu leur donna Saül.

Au début Saül sembla être un roi parfait, mais il devint vite si fier de lui qu'il ne se soucia plus de respecter les règles de Dieu.

Dieu avait confié sa tristesse à Samuel : *Saül continue à me désobéir. Il ne peut jouer un rôle dans mes plans et mon projet. Je devrai donner ce trône à un autre homme, capable de conduire et d'enseigner mon peuple.*

Voilà pourquoi Samuel était venu en secret à Bethléem. Dieu lui avait dit d'aller confier au fils d'un fermier qu'un jour, il deviendrait roi.

Samuel tremblait : *Si Saül découvre ce que je suis en train de faire, il me tuera ! Je ne connais pas celui que Dieu a choisi, je sais seulement que son père s'appelle Isaï. Comme Dieu aura besoin d'un homme très puissant pour monter sur le trône, il me sera facile de repérer le futur roi.*

Samuel fut ébahi lorsqu'il rencontra les sept grands fils d'Isaï. Ils étaient tous les sept courageux et forts.

Pourtant, Dieu lui dit : *Aucun d'eux ne conviendra ! Extérieurement, ils ont l'air très bien, cependant, je sais que dans leurs cœurs ils n'ont pas d'amour pour moi.*

Samuel fronça les sourcils. Il questionna Isaï : *Aurais-tu d'autres fils ?*

Le fermier reconnut : *Eh bien ! Il y a le petit David, le plus jeune ; il est dehors avec le troupeau, mais c'est encore un jeune garçon.*

Va le chercher ! ordonna Samuel.

Dès que David descendit en courant la colline, Dieu souffla à Samuel : *C'est celui-là !*

Les frères aînés de David furent très vexés lorsque Samuel leur révéla que David serait roi. Et pourquoi lui ? Quand Samuel fut reparti, ils renvoyèrent David à son troupeau.

Mais ils n'eurent pas le temps d'être longtemps jaloux. Les Philistins étaient de retour, posant encore plus de problèmes. *On dit que le géant Goliath est avec eux,* expliquèrent-ils à Isaï. *Nous devons partir sur-le-champ et combattre pour le roi Saül.*

Puis-je aussi venir ? supplia David.

Tu es bien trop jeune ! se moquèrent ses frères. *Seuls les hommes combattent les géants.*

Mais en cela justement, ils avaient tort !

I Samuel 17, 18 : 1-9

LE TERRIBLE GEANT

DAVID SE PRESSAIT SUR LE CHEMIN ; il était tout excité : *Je vais peut-être voir une vraie bataille !*

Ses frères étaient partis depuis si longtemps que leur père était maintenant très inquiet. *Apporte-leur quelques provisions à manger, David,* avait-il dit, *et vois comment ils vont.*

Dès que David arriva au camp de l'armée, il sut que quelque chose n'allait pas. Les soldats restaient debout, en petits groupes anxieux ; leur visage était blême de peur.

Qu'est-ce qui ne va pas ? demanda naïvement David, lorsqu'il trouva ses frères.

Regarde ! murmurèrent-ils, et d'un doigt tremblant, ils lui montrèrent la vallée.

Là, sur le sommet de la colline, se tenait le géant Goliath en personne, l'homme le plus grand au monde. Sa grosse voix rebondissait en écho parmi les rochers, et son armure de métal étincelait au soleil.

Cours et cache-toi ! grognèrent les frères de David. Puis ils expliquèrent : *C'est ainsi tous les jours depuis des semaines ! Il reste là et nous met au défi de le combattre..*

Votre Dieu ne vaut rien ! rugit le géant.

David s'étonna : *Pourquoi n'y a-t-il personne pour le combattre ? Il ne peut pas parler de Dieu ainsi !*

Tu es un jeune garçon stupide ! répondit son frère aîné. *Ne vois-tu pas qu'il est énorme ?*

Oui, mais **Dieu est avec nous !** protesta David. *J'irai moi-même puisque personne d'autre ne veut le faire.*

Goliath fut secoué de rires quand il vit le jeune garçon courir vers lui, armé seulement d'une fronde. Tous les soldats juifs regardaient la scène avec horreur, et le roi Saül retenait son souffle.

Tu me combats avec une épée et une lance, cria David avec force, *moi je viens avec la puissance de Dieu ! Je montrerai au monde entier combien il est plus grand que toi !*

Goliath, haineux, se moqua de lui : *Je donnerai ton corps à manger aux oiseaux !* Et il chargea David avec son immense lance. David prit une pierre dans son sac et visa avec soin. Il savait qu'il ne pouvait pas se permettre d'échouer.

La grande bouche de Goliath s'ouvrit sur un rire tonitruant et moqueur, mais une petite pierre fendit l'air et le toucha entre les deux yeux. Subitement, le rire cessa. La lance gigantesque allait presque toucher David lorsque Goliath chancela puis s'abattit, le visage contre terre. Tous les

Philistins en furent pétrifiés d'horreur et les frères de David étaient stupéfaits.

Vite, David prit l'épée du géant et trancha sa tête hideuse de l'ennemi vaincu.

Avec des cris de terreur, les Philistins coururent pour s'enfuir, les soldats Juifs à leurs trousses.

Le roi Saül annonça à David : *Tu ne peux pas rester berger, viens dans mon palais et tu épouseras ma fille.*

Sur tout le chemin du retour, dans chaque village, des jeunes filles dansaient, applaudissaient, saluaient et lançaient des fleurs à David, le vainqueur du géant.

Voilà qu'ils l'aiment davantage qu'ils ne m'aiment moi ! pensa le roi Saül et, parce que le roi commençait à être jaloux, David se trouva en danger sans le savoir.

I Samuel 18,19, 20, 22, 24

LA HAINE DU ROI

Le roi était d'une humeur massacrante et tous, dans le palais, étaient pris de panique. *Vite ! joue de la harpe pour le calmer,* murmurèrent-ils à David.

La vie était maintenant tout autre pour le jeune berger. Le fils du roi, Jonathan, était devenu son meilleur ami et dans le pays tout le peuple aimait David. C'était cela qui rendait Saül si furieux de jalousie.

David savait qu'**il pouvait compter sur Dieu**. Cependant, un jour, l'épée du roi fendit l'air en direction de la tête de David. Le jeune homme lâcha la harpe et s'écarta juste à temps. L'épée se fracassa contre le mur derrière lui.

Je te tuerai de toute façon ! fulmina le roi, et il envoya David combattre une dangereuse troupe de Philistins pensant qu'il s'y ferait prendre. Mais David revint en souriant, victorieux.

Saül gronda un nouvel ordre à ses soldats : *Allez chez David, et sautez-lui dessus lorsqu'il sortira le matin.* Heureusement, la princesse, la femme de David, les vit s'approcher, et permit à David de s'échapper à temps.

Tu n'es pas juste avec David ! protesta le prince Jonathan, mais son père le menaça s'il continuait à soutenir David. De plus, il força la femme de David à épouser un autre homme.

Partout où David allait, Saül le poursuivait et quiconque aidait David faisait face à de terribles difficultés.

A la fin, David se trouva acculé au désert et il vécut dans une grotte. Beaucoup de gens, lassés de la cruauté de Saül, vinrent le rejoindre.

Je les tuerai tous ! rugit Saül, et il se mit en route avec une armée de trois mille hommes.

Un jour, après avoir erré pendant des semaines avec ses hommes en armure, Saül alla se reposer seul dans une grotte.

Il était loin de se douter que, justement, tout au fond de cette grotte, David et ses hommes étaient cachés.

Voici ta chance ! murmurèrent les amis de David. *Tue-le et deviens notre roi, comme Dieu l'a promis.*

Silencieusement, David se glissa à travers la sombre grotte et, de son épée aiguisée, coupa un coin du manteau de Saül pendant qu'il dormait. Puis il se fondit de nouveau dans l'ombre.

Le blesser serait enfreindre les commandements de Dieu ! expliqua-t-il à ses hommes ébahis.

Saül et ses soldats s'éloignaient calmement, lorsque le roi entendit, tout étonné, la voix de David depuis les falaises.

Votre majesté ! Qu'est-il arrivé à votre manteau ? Saül fut si surpris qu'il en resta sans voix. *J'aurais pu vous tuer il y a un instant,* continua David, *mais je ne l'ai pas fait. Maintenant, allez-vous croire que je ne vous veux aucun mal ? Je promets d'être toujours loyal envers vous et votre famille.*

Saül retourna dans son palais, se sentant plutôt stupide ; mais bientôt, il recommença à poursuivre son ennemi parmi les rochers.

Finalement, le pauvre David dut fuir dans le pays des Philistins et là, il apprit de terribles nouvelles. Saül et le prince Jonathan avaient été tués dans une bataille, et avec eux des milliers d'autres Juifs.

Il était temps pour David de rentrer au pays et d'en devenir le roi. Dieu l'avait choisi pour son peuple.

2 Samuel 4 : 4 ; 2 Samuel 9, 6

LE PRINCE HANDICAPE

VITE ! COUREZ ! La bataille est perdue, les Philistins arrivent ! Ce cri retentit dans le palais le jour terrible où Saül et le prince Jonathan furent tués.

Le petit garçon de Jonathan, Mephibocheth, s'amusait tout heureux avec ses jouets, lorsque sa nourrice, terrifiée, le prit dans les bras : *Je t'emmène chez moi dans les collines ! Les Philistins ne doivent pas te trouver.* Malheureusement, elle courut si vite qu'elle trébucha et le prince tomba lourdement sur le sol. Ses jambes furent brisées. La nourrice le reprit dans ses bras et se remit à courir désespérément.

Avec les années, Mephibocheth grandit, caché dans une hutte isolée, mais ses jambes étaient à jamais tordues. Il ne pouvait que sautiller à l'aide de béquilles.

David, le nouveau roi, chassa bientôt tous les Philistins du pays, mais le pauvre Mephibocheth n'était pas rassuré pour autant. En effet, sa nourrice lui communiquait ses craintes : *Si jamais David te trouve, il pourrait t'en vouloir, à cause des nombreuses fois où ton grand-père, Saül, s'est montré cruel envers lui.*

Il ne doit jamais me trouver ! hoqueta le petit prince. Mais un jour, les serviteurs de David arrivèrent, le trouvèrent et l'emmenèrent au palais.

Mephibocheth était bien trop effrayé pour oser regarder le roi sur son trône. Cependant lorsque David parla, sa voix lui parut très douce. Le roi

lui raconta : *Il y a des années, j'ai promis à ton père Jonathan que je serai toujours bon envers sa famille. Alors, si tu le veux, tu peux vivre avec moi au palais, pour toujours.* Ainsi David faisait toujours de bonnes actions, et tout le monde l'aimait.

David bâtit, sur une haute colline, une grande et nouvelle ville, appelée Jérusalem.

Comme David aimait louer Dieu plus que tout, il lui tardait que l'Arche de Dieu soit dans la ville. Mais quelque chose l'ennuyait terriblement. L'Arche semblait perdue.

Des malheurs étaient arrivés aux Philistins quand ils l'avaient volée, aussi la rendirent-ils aux Juifs. Mais nul n'osait plus la toucher, ou s'en approcher ; elle avait été abandonnée dans une ferme.

J'irai moi-même la chercher ! décida le roi David. Hélas, il oubliait que Dieu avait ordonné que personne, sauf les prêtres, ne doive porter ce coffre précieux.

Les soldats de David la transportèrent précautionneusement sur un chariot, mais lorsque l'un des bœufs trébucha, l'Arche faillit tomber. L'un des soldats, Uzzah, calma l'animal et avança la main pour retenir l'Arche qui glissait.

A l'instant, il tomba mort. David et tous ses hommes en furent terrifiés et ils rentrèrent chez eux, laissant l'Arche sur place.

Nous devons apprendre à faire exactement ce que Dieu dit ! murmura David. *Nous étions en train d'oublier que Dieu est grand et Saint.*

Trois mois plus tard, une magnifique procession entra dans Jérusalem. Les musiciens jouaient, la foule acclamait, les gens dansaient et chantaient. Cette fois-là, tout fut fait comme cela devait l'être, et seuls les prêtres portaient l'Arche.

David fut le plus grand roi que les Juifs eurent jamais, et tant qu'il vécut, le peuple fut heureux et en paix. Ils faisaient tous de leur mieux, pour suivre les commandements de Dieu.

2 Samuel 11 ; Actes 2 : 29-31

L'ENORME FAUTE DE DAVID

NUL NE PENSAIT que David puisse un jour faire quelque chose de mal. Cependant, cela lui arriva. Tout commença simplement parce qu'il était d'humeur paresseuse. David aurait dû partir à la guerre avec ses soldats, mais au lieu de cela, il resta chez lui.

Par une chaude soirée, alors qu'il regardait la ville depuis la terrasse du palais, ce qu'il vit lui fit écarquiller les yeux d'émerveillement. Une femme magnifique se baignait dans sa piscine. Elle s'appelait Batchéba, et son mari était l'un des soldats du roi.

David avait de nombreuses femmes, cependant il tomba amoureux de celle-ci. Bientôt, Batchéba partagea en secret sa vie avec lui, et elle attendit un enfant du roi.

Pris de panique, David pensa : *Son mari ne doit pas l'apprendre !*

Alors il adressa un message secret à son général, lui demandant d'envoyer Urie, le mari de Batchéba, en première ligne, là où il se ferait certainement tuer par les Philistins. Lorsqu'ils apprirent que Urie était bien mort en combattant courageusement, David et Batchéba se marièrent.

Bien-sûr, Dieu en fut très triste et lorsque le bébé naquit, il envoya au palais le prophète Nathan. *J'ai un message pour toi de la part de Dieu !* dit-il au roi. David s'installa pour écouter attentivement.

Nathan se mit alors à raconter une histoire : *Il y avait deux hommes, l'un était très riche et avait des milliers de brebis. L'autre était pauvre et misérable ; tout ce que sa famille possédait, était un seul agneau. Un jour, le riche voulut préparer un festin pour un visiteur, mais au lieu de prendre un mouton de son propre troupeau, il vola puis tua l'agneau du pauvre. Le pauvre, ainsi que ses enfants, pleurèrent amèrement. Maintenant, majesté, était-ce juste ?*

Le roi s'irrita et tonna : *Non ! Cet homme riche mérite la mort !*

Alors, Nathan expliqua au roi : *Tu es cet homme ! Tu as de nombreuses épouses tandis qu'Urie n'en avait qu'une. Tu lui as volé sa femme et tu t'es débarrassé de lui en le faisant assassiner. Tu as enfreint deux commandements, et Dieu est très en colère.*

A cet instant, les serviteurs de David se précipitèrent pour lui dire que le bébé de Batchéba était très malade.

Une semaine entière, David fut si préoccupé qu'il ne mangea rien et resta dans sa chambre, le visage contre le sol. Hélas, l'enfant mourut. Les serviteurs de David se concertèrent : *Comment allons-nous lui apprendre cette terrible nouvelle ? Il ne le supportera pas.*

Le roi les entendit murmurer et devina ce qui s'était passé. *Je vais dire à Dieu ce que je ressens.* **Que Dieu me pardonne de mes fautes !** pensa-t-il et il se rendit au Tabernacle, la Tente de Dieu.

Parce que David demanda pardon pour ses mauvaises actions, Dieu lui pardonna. Le roi revint chez lui, apaisé et il consola Batchéba. Il se disait : *Mon bébé est en sécurité au ciel ! Un jour, je le reverrai.*

Bientôt, Dieu permit à David et à Batchéba d'avoir un autre bébé. Dès sa naissance, Dieu aima le petit Salomon de façon toute particulière.

David, heureux, souri devant l'enfant :

Un jour, il sera roi, quand je ne serai plus là ! Dieu le rendra grand.

Dieu parla aussi à David de son plan secret, de son projet divin : *Un jour, naîtra dans ta famille, un roi qui dirigera le monde, éternellement.*

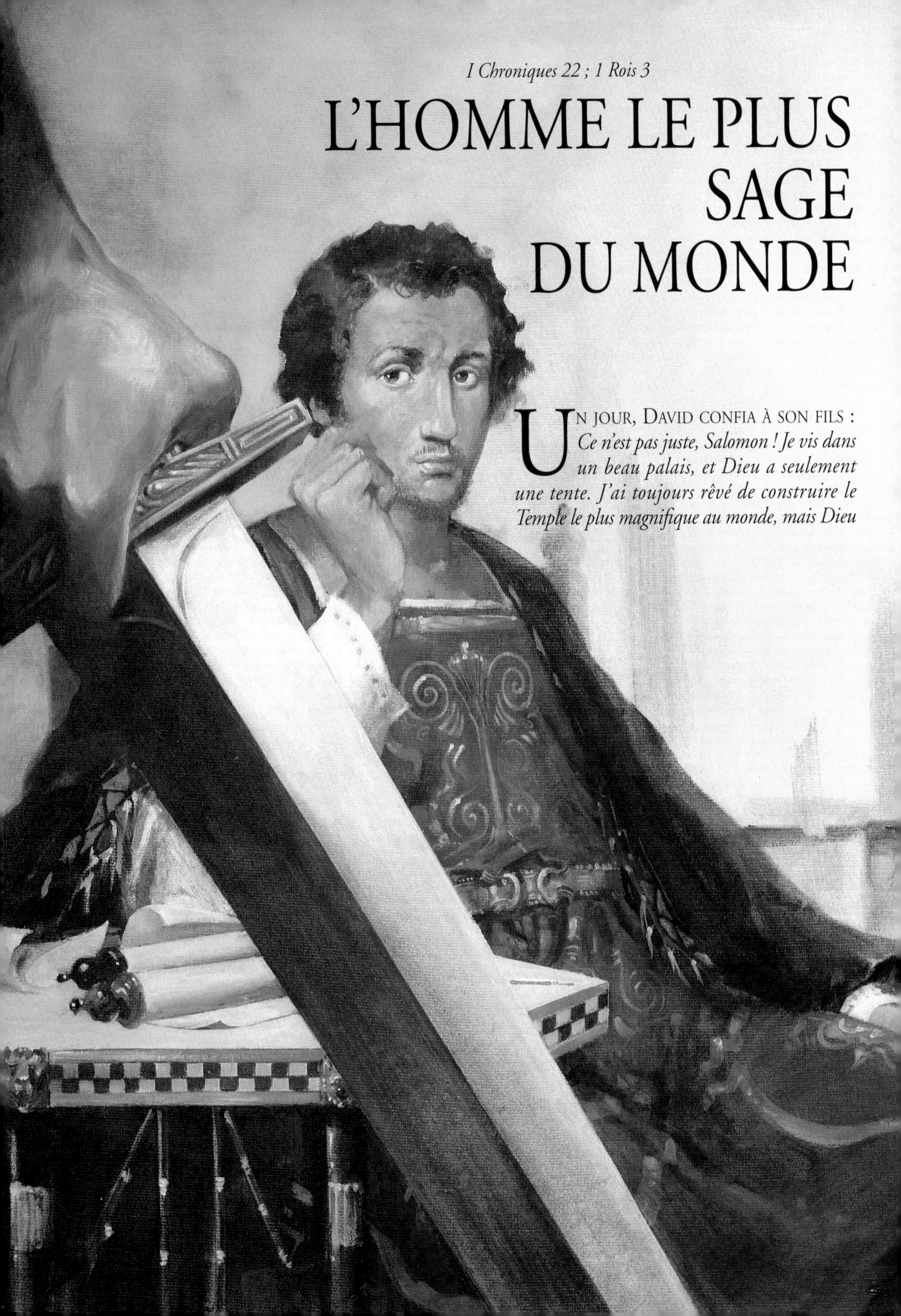

I Chroniques 22 ; 1 Rois 3

L'HOMME LE PLUS SAGE DU MONDE

UN JOUR, DAVID CONFIA À SON FILS : *Ce n'est pas juste, Salomon ! Je vis dans un beau palais, et Dieu a seulement une tente. J'ai toujours rêvé de construire le Temple le plus magnifique au monde, mais Dieu me dit qu'il préférerait que ce soit toi qui le lui construise un jour.*

Moi ! s'étonna le prince avec anxiété. *Je ne saurais même pas par quoi commencer !*

David le rassura quelque peu : *Je suis vieux maintenant, mais je passerai le reste de ma vie à rassembler de l'or, de l'argent, du bois de cèdre et du marbre, afin qu'après ma mort, tout soit prêt.*

Le jour où Salomon fut couronné roi fut un grand jour. Mais la nuit suivante, il alla se coucher très préoccupé : *Je suis encore un homme jeune, et mon père m'a laissé un peuple si nombreux à diriger que je ne peux même pas le compter. Comment pourrais-je aussi construire un temple ?* **Dieu est si grand qu'il mérite le meilleur !**

Lorsque finalement, il s'endormit, Dieu lui parla dans un rêve : *Salomon, je veux te donner tout ce que tu désires.*

Salomon était très surpris. Devait-il demander à devenir extrêmement riche, ou bien de vivre en bonne santé et très vieux, sans aucun ennemi ? Puis subitement, il sut ce qu'il désirait par-dessus tout. *S'il plaît à Dieu,* dit-il simplement, *pourrait-il me rendre sage et intelligent afin que je dirige parfaitement le peuple ?*

Dieu était si content que Salomon lui demande cela, qu'il lui donna également tout le reste ! Salomon fut bientôt le roi le plus riche du monde, et chacun parlait du Temple en or qu'il construirait pour son Dieu.

Salomon était aussi un homme très bon et il prenait toujours le temps d'aider son peuple. Un jour, deux femmes très en colère vinrent au palais lui demander de les départager. Elles portaient chacune un bébé, mais l'un de ces bébés était mort.

Nous dormons toutes les deux dans la même chambre, commença à expliquer la première femme. *Cette nuit, son bébé est mort, alors elle a volé le mien pendant mon sommeil et a mis le bébé mort à sa place.*

L'autre femme pleurait : *Ce n'est pas vrai ! C'est son bébé qui est mort !*

L'une des deux mentait, mais laquelle ?

Salomon prit alors une étrange décision : *Garde ! Prends ton épée et coupe le bébé en deux ; donne à chacune une moitié !*

Oui, c'est juste ! s'empressa de dire la première femme, mais l'autre ne pouvait supporter que l'on tue le bébé. Elle cria : *Laissez-le lui ! Tout, pourvu que l'on ne fasse pas de mal à cet enfant !*

Alors, Salomon déclara, en souriant : *Tu es certainement la vraie mère !* Puis il se tourna vers le soldat et dit : *Rengaine ton épée, et rends-lui l'enfant. Elle préférait qu'il soit donné à l'autre plutôt que de le voir mort. Pour l'aimer tant, elle est sa mère !*

Partout, la renommée de Salomon fut grande : *Le Dieu de Salomon est puissant et il fait de lui un grand roi !* Beaucoup firent des milliers de kilomètres pour rencontrer ce roi et pour découvrir son Dieu.

Le grand projet de l'Eternel semblait marcher merveilleusement, mais Satan était toujours à l'œuvre.

1 Rois 16 : 29-34 ; 17

LA MECHANTE REINE

TON DIEU NE VAUT RIEN ! Ainsi se moquait la nouvelle reine Jézabel, déambulant dans le palais, suivie de tous ses serviteurs. Elle ajouta : *Baal est le dieu de notre pays ; vous allez tous l'adorer maintenant.*

Son mari, le roi Achab, murmura : *Oui très chère, je vais immédiatement faire construire un temple pour sa statue.*

C'était le jour de ses noces, mais apparemment, il avait déjà peur de sa nouvelle femme !

Bien sûr, Achab n'aurait jamais dû épouser une princesse étrangère. Dieu avait interdit aux Juifs d'épouser des personnes qui ne le suivaient pas. Mais depuis la mort de Salomon, on avait oublié les commandements de Dieu.

Baal enverra aux fermiers tout le soleil et toute la pluie dont ils auront besoin, affirma Jézabel, *aussi longtemps que tu me laisseras punir quiconque ne se prosternera pas devant sa statue.*

D'accord, ma chère ! approuva Achab, et il essaya de ne pas remarquer que ses serviteurs parcouraient le pays et coupaient la tête aux gens. Jézabel se laissait diriger par le mal et Satan fut satisfait lorsque les gens du peuple, terrorisés par la reine, arrêtèrent d'aimer le vrai Dieu.

Un après-midi, alors qu'Achab était confortablement étendu dans son palais, il eut une surprise désagréable. Un homme à l'allure étrange pénétra dans la pièce et le fixa. Les serviteurs du palais avaient toujours de beaux vêtements, mais cet homme portait un vieux manteau en peaux d'animaux et on aurait dit qu'il ne se coiffait jamais.

Le roi l'interrogea : *Qui es-tu ?*

L'homme répondit : *Je suis le prophète de Dieu, Elie ! Voici ce que je dois te dire de la part du Seigneur :* **Dieu regrette que tu l'oublies**, *c'est pourquoi il ne pleuvra plus jusqu'à ce qu'il en donne de nouveau l'autorisation.*

Achab hurla : *Baal contrôle le temps ! Gardes !*

Mais Elie était déjà dans les collines bien avant qu'on ait pu l'attraper.

Il n'y eut pas de pluie cette année-là, et les plantes ne poussèrent pas.

L'été suivant, tous les fleuves et les lacs commencèrent à se désśécher, et le peuple avait soif et faim.

Un an après, des milliers de personnes moururent.

Achab se posait des questions : *Pourquoi Baal ne fait-il rien ?*

Trouve cet Elie, ordonna Jézabel. *C'est lui la cause de tout ceci.*

Le roi obéit et il envoya ses soldats remuer ciel et terre pour tenter de retrouver Elie.

Mais Dieu avait très bien caché son prophète, et il s'écoula trois ans avant qu'il ne l'envoie de nouveau vers Achab.

Un jour, un serviteur du roi accourut : *Je viens de voir Elie ! Il arrive. Il est ici, au palais !*

Au palais ! bredouilla le roi. *Jézabel le tuera si elle l'apprend.*

Lorsque Elie arriva, Achab brailla : *Regarde un peu ce que tu as fait à mon peuple ! Il meurt de faim.*

Mais Elie, sévèrement, lui répondit : *Tu es responsable de ce problème, car c'est toi qui l'as éloigné de Dieu. Dis-lui maintenant de se rendre sur cette montagne, là-bas. Je lui prouverai une fois pour toutes que Baal est un faux dieu, et que Dieu existe.*

Jézabel n'aimera pas cela ! marmona Achab nerveusement.

Elie répliqua : *Si tu veux la pluie, tu feras comme je te l'ai dit !* Puis il sortit du palais, à grandes enjambées.

1 Rois 18 ; 19 : 1-3

LE FEU DU CIEL

CE QUI SE PASSA SUR LE SOMMET de la montagne, ce jour-là, fut très étrange. Les prophètes de Baal dansaient pour leur dieu, gesticulant, criant et se coupant avec leurs couteaux.

Depuis l'aube, des milliers de gens affamés s'étaient traînés là-haut pour voir ce qui allait se passer. Le roi Achab lui-même observait depuis son char.

Elie avait lancé à la foule : *Aujourd'hui, vous saurez qui est vivant, Dieu ou Baal ! Celui qui sera capable d'envoyer le feu du ciel, voilà le Dieu que vous devrez suivre.*

O Baal, écoute-nous ! hurlèrent alors les prophètes de Jézabel, tournant en rond, heure après heure, sous le soleil accablant.

Criez un peu plus fort ! ricana Elie. *Peut-être, Baal est-il aux toilettes, ou bien s'est-il endormi !*

Envoie le feu ! Ses prophètes crièrent jusqu'à avoir la voix cassée et le souffle court : *Envoie le feu !*

A la fin de la journée, le roi Achab avait l'air très embarrassé lorsque les prophètes de Baal, épuisés, s'écroulèrent au sol.

Elie expliqua à tous : *Baal est seulement une statue de bois ; évidemment, il ne peut pas envoyer du feu, mais Dieu le peut.* Puis, Elie offrit à Dieu un jeune taureau, le prépara et le posa sur le bois. *Allez chercher des seaux d'eau,* dit-il au peuple, et *versez l'eau sur le bois.*

Achab sourit lorsqu'il vit ce qu'ils étaient en train de faire. *Aucun feu ne pourra prendre sur du bois aussi humide !* railla-t-il. Mais Elie n'avait pas besoin de danser, ni de crier pour que Dieu l'entende. Il regarda simplement vers le ciel et dit : *Seigneur, prouve maintenant combien tu es puissant !*

Comme le peuple retenait son souffle, osant à peine regarder, une grande boule de feu éclata dans le ciel. Elle brûla le sacrifice et tout le bois qui était pourtant trempé. Elle fendit les pierres en morceaux et roussit la terre alentour.

Le peuple se coucha le visage contre terre. **Seul le Seigneur est Dieu !** cria-t-il.

Dans leur frayeur, les prophètes de Jézabel se blottissaient les uns contre les autres. *Faites-les descendre de la montagne et tuez-les tous !* ordonna Elie. Et c'est ce qu'ils firent aussitôt.

Elie retourna seul sur la montagne ; il voulait maintenant prier pour la pluie.

Subitement sur la mer, Elie remarqua un tout petit nuage et entendit le grondement lointain du tonnerre. Il informa le roi : *Voilà la pluie ! Cours chez toi Achab, avant d'être trempé !*

Le tonnerre grondait au-dessus de leurs têtes et le vent hurlait pendant qu'Elie courait à côté du char d'Achab.

Des gens étaient alignés tout le long de la route et acclamaient la pluie qui tombait sur le sol desséché. Ils ne se souciaient nullement d'être trempés ; ils avaient manqué d'eau trop longtemps !

Le Seigneur est Dieu ! chantaient-ils en pataugeant dans les flaques.

Mais au palais, la reine Jézabel attendait, livide : *Je ne laisserai pas ces gens revenir à leur Dieu ! D'ici demain, j'aurai tué Elie puisqu'il a tué mes prophètes !*

1 Rois 19

TEMPETE SUR LA MONTAGNE

ELIE ÉTAIT TAPI dans l'obscurité de la grotte ; il se sentait si misérable qu'il voulait mourir. Alors qu'il venait juste de ramener le peuple à Dieu, tout était allé de travers et maintenant, la méchante Jézabel cherchait à l'arrêter pour le tuer.

Pendant des semaines, il avait parcouru le désert, solitaire, et maintenant il se cachait sur le Sinaï, la montagne de Dieu. Ici peut-être, allait-il comprendre pourquoi Jézabel et Satan semblaient toujours vainqueurs... L'endroit était désolé et effrayant ; Elie tremblait dans sa grotte humide.

Soudain, la voix de Dieu le fit sursauter : *Que fais-tu là, Elie ?*

Un vent terrible hurlait sur la montagne tandis qu'un tremblement de terre fit gronder et s'entrechoquer les blocs de pierre. Du feu sortit des fissures des rochers et tout le Sinaï sembla en être ébranlé. Elie se couvrit le visage de son manteau en cuir et se tint à l'entrée de la grotte.

Dieu demanda à nouveau : *Pourquoi es-tu venu là ?*

Lorqu'il parla, sa voix était comme un murmure doux et léger ; subitement, le prophète effrayé se sentit en sécurité, enfin réconforté. Dieu n'était-il pas plus puissant que les cyclones et les tremblements de terre ? Il pouvait aisément venir à bout de Jézabel.

Elie expliqua : *Seigneur, tout le peuple a rompu l'alliance que tu avais faite autrefois avec lui sur cette montagne ! Nul ne suit plus tes commandements et je suis le seul prophète qu'ils n'ont pas encore tué.*

Dieu répondit avec bonté : *Ne t'en fais pas ! Mon projet n'a pas échoué. J'ai déjà choisi un homme, appelé Jéhu, pour être roi à la place de la méchante famille d'Achab.*

Mais ne suis-je pas la seule personne qui t'aime encore ? demanda le pauvre Elie.

Non ! répliqua Dieu. *J'ai beaucoup d'amis qui m'aiment en secret et qui ne se sont jamais prosternés devant Baal. Je vais faire revenir le peuple à moi, mais tu auras besoin de quelqu'un qui t'aide à leur enseigner comment m'aimer. J'ai choisi un jeune homme du nom d'Elisée. Va lui montrer maintenant comment devenir prophète.*

Elisée, le fermier, était occupé à labourer ses champs lorsqu'il vit un homme étrange marcher droit vers lui. Sans dire un mot, l'homme enleva son manteau de cuir et le posa sur ses épaules.

Elisée s'arrêta net, et les bœufs continuèrent à labourer sans lui. *Tu dois être le grand prophète Elie,* dit-il ébahi. *Tu veux certainement que je te suive, puisque tu m'as donné ton manteau de cette façon.*

Le vieux prophète expliqua : *Si tu acceptes, tu devras quitter ta ferme ainsi que tes parents ! En parcourant ainsi le pays pour parler de Dieu aux gens, tu n'auras jamais de maison et la reine Jézabel pourrait te menacer.*

Je vais immédiatement dire au revoir à mes parents, répliqua Elisée tout heureux. **J'ai toujours voulu servir Dieu**.

On a dû trouver ce duo bien étrange, lorsque les deux hommes sont repartis ensemble. Elie avait de longs cheveux indisciplinés et le visage triste, alors qu'Elisée était plutôt chauve et toujours souriant.

Cependant, ils devinrent de très bons amis parce que Dieu unit toutes sortes de personnes pour accomplir sa volonté.

1 Rois 21 ; 22 : 29-39

LE ROI BOUDE

CE N'EST PAS JUSTE ! boudait Achab dans son lit, et il se tourna contre le mur. *Que se passe-t-il ?* questionna Jézabel, faisant irruption dans sa chambre. *Tu n'as rien mangé !*

Le roi se lamenta : *C'est ce fermier, Naboth, notre voisin ! Son terrain nous ferait un magnifique jardin, mais il ne veut pas me le vendre.*

Es-tu le roi, oui ou non, railla Jézabel. *Lève-toi et cesse de geindre ! Je vais te l'obtenir, moi, ce jardin.*

Bien, ma chère ! murmura Achab.

Jézabel se mit à réfléchir : *Si Naboth et tous ses fils mouraient, sa ferme reviendrait au roi ... Donc, je sais ce qu'il faut faire... D'autant que Naboth est un ami de Dieu, donc un ennemi personnel !*

Elle s'empressa d'écrire quelques lettres. Lorsqu'elle eut terminé, elle les signa soigneusement du nom de son mari et les donna aux serviteurs : *Portez ces lettres royales aux hommes les plus importants de la ville.*

Ces lettres contenaient toutes sortes de calomnies contre le pauvre Naboth. Elles disaient : *Que chacun sache combien ce fermier est méchant ! Qu'on lui jette des pierres, et que lui et sa famille soient exécutés.*

Quelques jours plus tard, un messager apporta une réponse à Jézabel ; cela lui donna tellement le sourire que son maquillage se craquela. Elle s'empressa d'aller voir son mari et lui annonça : *Tu as ton jardin. Naboth est mort et les chiens lèchent son sang hors des murs de la ville !*

Bien, ma chère ! répliqua Achab. Il se sentait très mal à l'aise en franchissant le portail de la ferme. Or, quelqu'un l'observait à travers la vigne et soudain, il reconnut le prophète Elie. *Il est toujours là quand on ne le désire pas !* maugréa le roi.

Elie l'affronta : **Crois-tu que Dieu ignore ce que tu fais ?** *Il m'envoie te dire qu'il a vu tout ce que toi et Jézabel avaient fait de mauvais. Dieu va vous détruire, toi et tes fils. Tout comme les chiens ont léché le sang de Nabot, ils lécheront le tien aussi.*

Peu de temps après, de nouveaux ennemis, les Syriens, attaquèrent le pays. Achab était terrifié : *Je ne peux pas partir à la guerre avec ma couronne et mes plus beaux habits. Les Syriens vont me repérer et ils me tueront.*

Alors, il emprunta un vieux char et une armure ordinaire à l'un de ses soldats. Il partit à la bataille ainsi déguisé.

Les Syriens cherchèrent Achab et comme ils ne le trouvèrent pas, ils se mirent à tirer des flèches au hasard, cherchant à tuer le plus de soldats possible.

L'une d'elle fendit l'air et trouva justement le défaut de l'armure d'Achab. A la fin de la journée, le roi était mort et les chiens léchèrent son sang, tout comme Dieu l'avait dit.

2 Rois 2

LE CHAR DU CIEL

Elie et son jeune ami Elisée visitaient inlassablement les écoles fondées par le prophète. On y enseignait les commandements et les lois de Dieu ; on pouvait y devenir, à son tour, prophète.

Les deux hommes marchaient et marchaient encore. Puis, Elie confia à Elisée : *Je vais bientôt te quitter ! Il est temps que Dieu me reprenne !*

A cette nouvelle, le jeune Elisée fut tout triste : *Comment allons-nous faire sans toi ?*

Ensemble, ils atteignirent les rives du grand fleuve Jourdain. Les jeunes gens de l'école de Jéricho leur avaient dit qu'il était impossible de le franchir à cette époque de l'année.

Silencieusement, Elie enleva son vieux manteau de cuir et s'en servit pour frapper les flots rapides. Aussitôt, le courant s'arrêta et Elie traversa le lit de la rivière à sec.

Quelque chose de surprenant va se passer ! se dirent les jeunes prophètes qui observaient de la rive. Elie voulait consoler Elisée. Il lui demanda avec bonté : *Que puis-je te donner, maintenant que je vais vers Dieu ?*

Donne-moi ta puissance ! répondit tristement Elisée. *Afin que je puisse, comme toi, enseigner aux gens les vérités de Dieu.*

A cet instant, des chevaux de feu descendirent du ciel. Ils tournèrent entre les deux hommes, tirant derrière eux un char flamboyant. Elie monta sur le char, et un puissant tourbillon le porta dans les cieux. Mais comme il s'élevait ainsi, son manteau s'échappa de ses épaules et tournoya dans l'air. Lentement, Elisée le saisit et le mit sur ses épaules.

Cela voulait-il dire que Dieu l'avait choisi pour être un grand prophète, comme Elie ? Il n'en était pas sûr lui-même, jusqu'à ce qu'il se trouve de nouveau sur les rives de la rivière. Pourrait-il arrêter le courant, tout comme l'avait fait Elie? Cinquante jeunes hommes étaient restés là, l'observant avec émerveillement lorqu'il frappa l'eau du fameux manteau.

La puissance d'Elie est sur toi ! dirent-ils stupéfaits, en le regardant marcher dans la boue. *Viens te reposer à Jéricho.*

Mais il n'y eut de repos pour personne à Jéricho ; en effet, la ville était en plein chaos. Une terrible épidémie avait envahi la cité. Des gens parcouraient les rues en sanglotant ; dans chaque foyer, il y avait quelqu'un de malade ou en train de mourir.

Les chefs de la ville expliquèrent à Elisée : *Nous pensons que l'eau du puits est polluée. Que pouvons-nous faire ?*

Se tenant près du puits, Elisée demanda de l'aide à Dieu. Puis il jeta du sel dans l'eau. Satisfait, il déclara : *Dieu vous annonce qu'il a purifié l'eau !*

Quelques uns des adorateurs de Baal se moquèrent de l'action d'Elisée, mais on reconnut bien vite que **Dieu avait agi**. Tous ceux qui burent de cette eau furent guéris et plus personne ne mourut.

Lorsqu'elle apprit qu'Elie était parti pour toujours, la reine Jézabel fut ravie... Mais elle n'avait pas encore entendu parler d'Elisée !

2 Rois 4 : 1-37

LES SEPT ETERNUEMENTS

A QUOI SERT-IL D'ÊTRE RICHE, si l'on ne peut avoir ce que l'on désire le plus ? pensait une grande dame en regardant à la fenêtre de sa jolie maison.

Elle avait toujours voulu un bébé, mais c'était impossible maintenant. Son mari était trop vieux.

Soudain, elle s'écria : *Oh, regarde ! Voilà encore cet homme. Il vient souvent dans notre village, pour parler de Dieu.*

C'était Elisée qui traînait les pieds sur la route, l'air fatigué et couvert de poussière.

Mon époux, questionna la riche dame, *puis-je l'inviter à souper ?*

Elle aimait Dieu, aussi faisait-elle souvent de bonnes actions.

Et pendant le repas, Elisée raconta à ses hôtes : *Il est arrivé quelque chose de surprenant la semaine dernière. J'ai rencontré une pauvre veuve qui pleurait amèrement. Un homme cruel était sur le point de lui enlever ses deux petits garçons pour en faire ses esclaves, parce qu'elle ne pouvait lui rembourser l'argent qu'elle lui avait emprunté.*

Pourquoi ne le pouvait-elle pas ? s'inquiéta la dame riche.

Parce qu'elle n'avait plus rien ! Tout juste lui restait-il un peu d'huile dans une fiole, répondit Elisée. *Alors je lui ai demandé d'emprunter beaucoup de cuvettes et de bassines, et Dieu les a toutes remplies à partir du peu d'huile qu'elle possédait. Nous avons vendu l'huile au marché et en avons récolté tant d'argent que, lorsque l'homme méchant est venu réclamer ses fils, elle lui a remboursé tout ce qu'elle lui devait.*

Elisée se rendait souvent dans la belle maison de ses nouveaux amis. Bientôt, ses hôtes lui aménagèrent même une chambre toujours à sa disposition. Le prophète en était si reconnaissant qu'il leur demanda s'il pouvait faire quelque chose pour eux.

Nous avons tout ce dont nous avons besoin ! répliqua la dame, qui était bien trop timide pour dire ce qu'elle ressentait vraiment ! Mais le serviteur d'Elisée, Guéhazi, avait deviné son secret et en souffla un mot à l'oreille d'Elisée.

Alors, Elisée lui annonça, de la part de Dieu, une merveilleuse nouvelle :

L'année prochaine, tu tiendras un petit garçon dans tes bras ! Et c'est ce qui se passa, parce que **Dieu tient ses promesses**.

Le petit garçon grandissait, et il se postait souvent à la fenêtre pour guetter le passage d'Elisée. Il aimait entendre l'histoire du char d'Elie descendu du ciel.

Hélas un jour, il devint très malade et se plaignit : *J'ai très mal à la tête !* Alors qu'il était blotti sur les genoux de sa mère, il mourut.

Il faut que je trouve immédiatement Elisée ! pleura-t-elle. Elle déposa l'enfant sur le lit du prophète puis, montant sur son âne le plus rapide, elle partit à sa recherche.

Elisée priait sur le sommet d'une montagne, lorsqu'il la vit venir de très loin, dans un nuage de poussière. *Quelque chose ne va pas !* confia-t-il à Guéhazi.

Quelques heures plus tard, Elisée se tenait seul dans la chambre, et priait Dieu devant le petit corps froid et inerte.

A l'extérieur, Guéhazi et les parents attendaient anxieusement. Ils n'en crurent pas leurs oreilles lorsqu'ils entendirent le petit garçon éternuer sept fois. Puis la porte s'ouvrit brusquement et Elisée apparut, tenant l'enfant vivant par la main.

La riche dame serra son fils dans ses bras, trop heureuse pour parler.

Elisée aussi était très heureux !

2 Rois 5

LE FIER GENERAL

Les Syriens attaquent *de nouveau,* remarqua d'un ton cassant la reine Jézabel. *Ils continuent à voler nos enfants pour en faire des esclaves. Fais quelque chose !*

Bien, mère ! répliqua son fils, le nouveau roi. *Mais nous craignons tous Naaman, le général de leur armée.*

La reine renifla avec dédain et sortit pour se maquiller.

Très loin de là, en Syrie, Naaman le fier soldat, prenait un bain. Soudain, il s'écria : *Regardez !* Sa femme et ses serviteurs accoururent et virent une petite tache blanche sur sa poitrine.

Réalisant ce que c'était, ils hurlèrent tout en même temps : *La lèpre !*

Qu'allons-nous faire ? pleura la femme de Naaman. C'est alors qu'une petite main la tira par la robe. A côté d'elle se tenait la jeune esclave juive qui travaillait pour elle depuis qu'elle avait été enlevée aux siens. La fillette confia : *Dans mon pays, il y a un prophète de Dieu qui guérit les gens.*

Sortant aussitôt de son bain, Naaman décida : *Je vais y aller tout de suite !*

Avec son grand attelage et ses chevaux, Naaman arriva au palais de Jézabel.

Le roi fut contrarié : *Comment veux-tu être soigné ! Nous ne connaissons pas le prophète dont tu parles. Il s'agit d'une fable !* Très en colère, Naaman quitta le palais tandis que le roi redouta aussitôt sa vengeance.

C'est alors qu'Elisée fit parvenir un message au palais : *Envoyez-moi cet homme. Je lui monterai, ainsi qu'à tout le peuple, que notre Dieu est puissant !*

C'est ainsi que Naaman arriva dans la cour du prophète Elisée. Les voisins se pressaient, admiratifs et curieux. Mais Elisée ne se déplaça pas et il donna ses consignes par l'intermédiaire de Guéhazi, son serviteur. Naaman fut très vexé tandis que les sacs d'or et d'argent qu'il avait apporté pour payer ses soins impressionnèrent fortement Guéhazi.

Le serviteur, ne quittant pas des yeux tout cet argent, annonça : *Mon maître Elisée te recommande de te baigner sept fois dans le Jourdain ; alors tu seras guéri !*

Naaham s'indigna plus encore : *Me baigner dans cette eau sale ! Jamais !* Et il repartit dans une colère telle que ses propres serviteurs osèrent à peine lui parler.

Pourtant, on chercha à le raisonner et on l'encouragea à essayer cet étrange remède.

Lorsque Naaman sortit pour la septième fois du Jourdain, il réalisa qu'il était complètement guéri.

Maintenant, je sais que Dieu existe ! s'exclama-t-il en faisant irruption dans la maison d'Elisée. *Apportez la récompense !*

Mais, il fut surpris d'entendre le prophète lui répondre : *Dieu t'a guéri, mais il n'a pas besoin de ton or… ni moi non plus !*

Le général confessa : *Plus jamais, je ne me prosternerai devant des idoles. Seul votre Dieu est vivant.* Il rentra chez lui en bonne santé, et tout heureux, parce qu'une petite esclave lui avait donné un bon conseil : **Il faut faire confiance à Dieu !**

Cependant Guéhazi ne pouvait supporter de voir tout cet argent disparaître. *Je n'ai que faire de Dieu,* pensa-t-il. *Je veux devenir riche.*

Aussi, courut-il rattraper Naaman : *Mon maître a changé d'avis,* mentit-il. *Remets-moi la récompense !* Peu après, il cacha les lourds sacs contenant le trésor.

Mais Dieu révèla à Elisée ce qu'avait fait son serviteur. Et avant qu'il ait pu profiter de son argent, Guéhazi fut tout couvert de la lèpre de Naaman.

2 Rois 6 : 8-23

LES SOLDATS AVEUGLES

L'UN DE VOUS EST UN TRAÎTRE ! rugit le roi de Syrie en tapant du poing sur la table. Tous les capitaines de son armée, ainsi que ses conseillers, tremblaient de peur en se dévisageant les uns les autres. Le roi continuait à crier : *Nul ne peut entendre ce que nous disons dans cette pièce, cependant, à chaque fois que nous attaquons les Juifs par surprise, ils semblent savoir exactement quand nous allons venir. L'un d'entre vous doit sûrement leur révéler nos plans d'attaques.*

L'un des homme balbutia une timide réponse : *Non, Votre Majesté, personne ne vous trahit. Cependant, Elisée le prophète du Dieu des Juifs, semble savoir toutes choses. Il peut dévoiler à son roi exactement tout ce que nous prévoyons de faire !*

Nous ne pouvons gagner la guerre avec un tel homme contre nous ! brailla le roi de Syrie. *Envoyez une armée si nécessaire, mais capturez-le.*

Naaman avait certainement refusé de combattre contre le peuple de Dieu, aussi ce fut un nouveau général qui avança hardiment, à la tête d'une troupe formée de ses soldats les plus courageux. Il apprit qu'Elisée était à Dotan, et tandis que la nuit tombait, ils arrivèrent près de la petite ville.

Déployez-vous autour des remparts, ordonna le général, *puis établissez le camp pour la nuit.*

Tôt le lendemain matin, le nouveau serviteur d'Elisée se leva et grimpa sur les remparts. *Maître !* hurla-t-il. *Regardez, des milliers de soldats ! Qu'allons-nous devenir ?*

Tout va bien, bâilla le prophète encore endormi et regardant par une fente du mur. *Nous avons bien plus de soldats de notre côté qu'eux n'en ont du leur.*

Le garçon s'étonna : *Mais nous n'avons pas de soldats du tout !*

Seigneur, ouvre ses yeux ! pria Elisée. Le garçon hoqueta de surprise lorsque soudain, il vit des millions d'anges autour de la ville pour la protéger.

Ils sont toujours là à veiller sur nous, dit le prophète souriant, *mais d'habitude, on ne les voit pas.*

Crois-tu que Dieu abandonne ses enfants ?

Lorsqu'Elisée ouvrit les portes de la ville et sortit calmement, le général Syrien cria : *Emparez-vous de lui !* Mais Elisée pria de nouveau, et à l'instant, chaque soldat devint aveugle. Ils lâchèrent leurs épées et leurs boucliers, et commencèrent à tâtonner tout autour d'eux.

Vous n'êtes pas venus dans la bonne ville, dit Elisée au général, aveugle lui aussi. *Venez avec moi ; je vous conduirai à l'homme que vous voulez.*

La reine Jézabel et le roi son fils se tenaient sur les remparts de Samarie, regardant avec étonnement cet étrange cortège. Les soldats syriens se tenaient tous par la main pour éviter de tomber dans un fossé ou de se perdre.

Ils entrèrent droit dans la ville et les portes claquèrent derrière eux.

Permets qu'ils voient de nouveau, Seigneur pria Elisée. Ils furent surpris lorsqu'ils réalisèrent où ils se trouvaient et qu'ils étaient faits prisonniers.

Allons-nous tous les tuer ? se moqua le roi.

Certainement pas, répondit Elisée. *Ce ne serait pas juste. Donnez-leur à manger et renvoyez-les chez eux !*

Ils vous ont vraiment donné à manger ? interrogea le roi de Syrie lorsqu'il apprit toute l'affaire. *J'aurais dû écouter Naaman. Leur Dieu est trop puissant pour nous.*

2 Rois 6 : 24-33 ; 7

PLUS RIEN A MANGER

LA REINE JÉZABEL interdisait toujours au peuple d'adorer le Dieu d'Abraham, d'Isaac de Jacob, et d'Elisée. Elle accusait même le prophète d'être un fauteur de troubles. Elle ne vit pas venir la nouvelle attaque des Syriens.

Ces derniers marchèrent sur la ville de Samarie et installèrent leurs tentes tout autour. Ce qui ne sembla pas inquiéter Jézabel : *Ils n'y entreront jamais, ! Nos murs sont bien trop épais.*

Oui, mais nous sommes encerclés, protesta le roi, son fils. *Si nous ne pouvons pas sortir chercher de la nourriture, nous allons mourir de faim.*

Il avait raison. Bientôt, il resta si peu de nourriture dans la ville que les gens mouraient. Mais la reine ne voulait toujours pas qu'ils demandent de l'aide à Dieu. Avec colère, elle scandait : *C'est entièrement de la faute d'Elisée ! Envoyez des soldats pour le tuer parce qu'il nous porte malheur !*

Bien, mère ! murmura le roi. Mais lorsque les soldats furent partis, il pensa : *Si mère a tort, Dieu va être très en colère contre moi.* Relevant le bas de ses vêtements, il se lança dans les rues à leur poursuite, le Premier Conseiller se traînant derrière lui. Il arriva juste à temps pour les voir tambouriner à la porte d'Elisée.

Calmement, Elisée ouvrit la porte et déclara : **Dieu est notre secours.** *Il vous annonce que demain, à cette même heure, dans la ville assiégée, il y aura davantage de nourriture que nous n'en pourrons manger !*

Le Premier Conseiller, ami de Jézabel, se moqua alors grossièrement de la prophétie. Elisée se tourna vers lui et lui dit sévèrement : *Puisque tu ne crois pas ce que Dieu promet, tu ne seras plus là pour profiter de la nourriture qu'il envoie !*

A l'extérieur de la ville, quatre hommes étaient assis. Personne ne voulait d'eux, car ils étaient lépreux. Ils se dirent : *Nous allons mourir de faim si nous restons ici plus longtemps ! Allons jusqu'aux tentes des Syriens. Ils nous donneront peut-être un croûton de pain. Et même s'ils nous tuent, cela ne changera rien pour nous !*

Aussi, quand la nuit fut venue, ils partirent. Arrivés à la première tente, ils la visitèrent prudemment : *Mais, elle est vide ! Il n'y a personne ! Regardez, il y a de quoi manger !*

Aussitôt, ils se mirent à s'empiffrer tellement qu'ils ne purent presque plus bouger ! Puis ils prirent de beaux habits qui trainaient et s'emparèrent de l'argent et des bijoux abandonnés.

Il y a quelque chose d'anormal, souffla alors l'un d'eux. *C'est trop calme ici. Où sont donc passés tous les Syriens ?*

Ils se glissèrent de tente en tente, pour constater qu'elles étaient toutes complètement vides.

L'un des lépreux se mit à sauter de joie : *Ils sont partis ! Et nous sommes riches !*

Un autre le reprit : *Mais dans la ville, ils meurent tous de faim ! Allons-nous être assez mesquins pour garder cette bonne nouvelle pour nous seuls ?*

Certainement pas ! acquiescèrent alors les autres. Et ils coururent vers les portes de la ville.

Que s'était-il donc passé dans le camp ennemi ? Les tentes étaient abandonnés parce que Dieu avait effrayé les Syriens. Ils entendirent soudain le bruit de milliers de soldats et de chevaux venant vers eux. Ils eurent si peur de cette brusque attaque qu'ils s'enfuirent, laissant tout derrière eux.

Tout d'abord, personne ne crut le récit des lépreux. *C'est une plaisanterie ! Les Syriens sont cachés dans l'obscurité, attendant de fondre sur nous. C'est certainement une embuscade, un nouveau piège !*

Mais lorsque les gens de Samarie découvrirent que les lépreux disaient bien la vérité, tous se précipitèrent hors de la ville. Le Premier Conseiller du roi fut renversé dans la précipatation par la foule en folie et fut piétiné à mort. C'est bien ce qu'avait annoncé Elisée.

2 Rois 8, 9, 10

FIN DE LA MECHANTE REINE JEZABEL

JÉZABEL ÉTAIT ASSISE DEVANT SA GLACE, elle se maquillait. Elle était devenue très vieille, mais ne voulait pas que cela se remarque. Il y avait maintenant deux rois dans le pays. L'un était son fils ; il dirigeait le nord. L'autre roi vivait à Jérusalem et dirigeait le sud. Jézabel lui avait donné sa fille en mariage pour pouvoir l'influencer. Elle pensait s'être montrée très intelligente, mais son temps touchait à sa fin.

On était une nouvelle fois en guerre avec la Syrie, et les deux rois s'étaient unis pour combattre.

Lorsque le fils de Jézabel fut égratigné par une épée, il en fit toute une histoire, si bien que les deux rois se précipitèrent à l'abri chez Jézabel.

Les soldats, dégoutés, se moquaient de leurs monarques : *C'est incroyable de s'enfuir et de se terrer ainsi au beau milieu d'une guerre ! Notre général Jéhu ferait un bien meilleur roi !*

Dieu le pensait aussi, et un jour, alors que le général et ses officiers préparaient une bataille, entra sous la tente de commandement un bien étrange jeune homme. Cet invité surprise déclara : *J'ai un message de Dieu pour toi Jéhu.* **Dieu a vu la pureté de ton cœur.** *Il te fait roi à la place de la méchante famille de Jézabel. Ta première tâche sera de détruire toutes les statues de Baal et même tous ceux qui se prosterneront encore devant elles..*

Jéhu, qui faisait toujours les choses en courant, sauta à l'instant dans son char, et fila comme le vent.

Regardez ! s'exclamèrent les deux rois, scrutant l'horizon depuis le palais de Jézabel. *Vous voyez ce nuage de poussière ? Personne, si ce n'est Jéhu, ne galope aussi vite ; il doit nous apporter des nouvelles de la guerre.*

Ils montèrent sur leurs chevaux et allèrent à sa rencontre. Quelle ne fut pas leur surprise lorsque Jéhu leur tira dessus avec des flèches ! Les deux rois moururent, transpercés.

Jézabel regardait la scène depuis la fenêtre de sa chambre. Ses serviteurs étaient si contents de voir un nouveau roi arriver et galoper si courageusement jusqu'au palais, qu'ils poussèrent Jézabel par la fenêtre. Elle s'écrasa sur les rochers. Arrivèrent aussitôt des chiens sauvages qui la dévorèrent. Ainsi s'accomplit la prophétie d'Elisée.

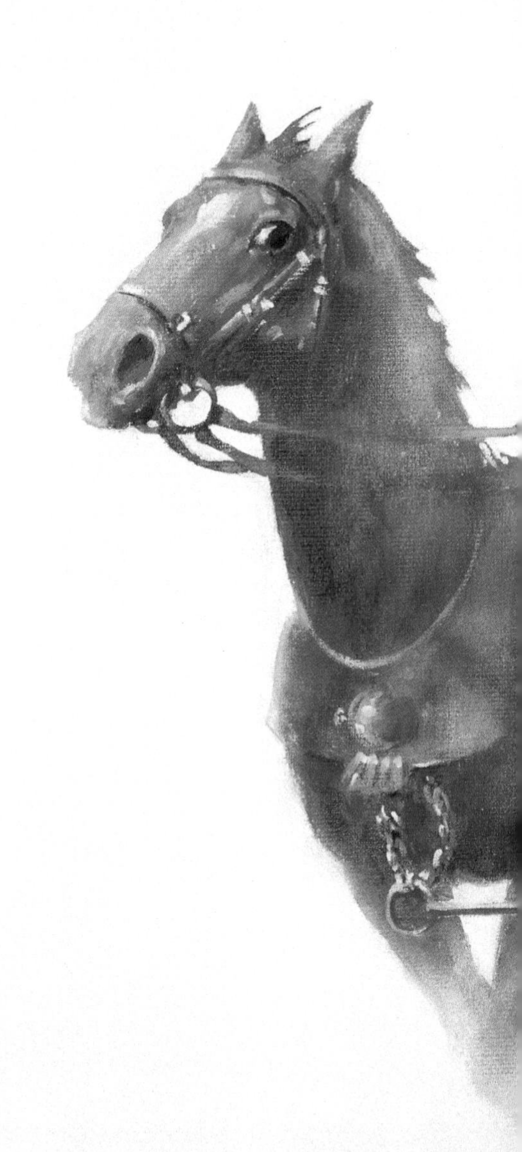

Jéhu s'installa sur son nouveau trône et réfléchit profondément : *Comment saurais-je qui adore Baal parmi le peuple ? Les gens vont me cacher la vérité pour sauver leur vie.*

Il eut alors une idée. Bientôt, circulèrent de bonnes nouvelles pour ceux qui adoraient Baal. On disait que le roi Jéhu voulait adorer Baal avec eux et qu'il les invitait à une cérémonie spéciale.

Ils vinrent donc de tout le pays, revêtus de leurs plus beaux habits et ils s'entassèrent dans le temple de Baal. Jéhu et ses soldats s'étaient aussi habillés pour la cérémonie, mais sous leur robes, ils cachaient des épées. Avant la fin de la cérémonie, tous ceux qui adoraient Baal furent éliminés.

Nous allons transformer ce temple en toilettes publiques ! Telle fut la décision de Jéhu qui jeta également toutes les horribles statues dans un feu de joie.

Tous ceux qui étaient amis de Dieu et avaient dû se cacher purent de nouveau l'adorer au grand jour. Hélas, dans le sud du pays, les choses étaient différentes. La reine, qui était la fille de Jézabel et dont Jéhu avait tué le mari, était furieuse.

Déjà, elle voulait se venger.

2 Chroniques 22, 23 ; 2 Rois 11

LE PRINCE CACHE

Athalie, la fille de Jézabel, était encore plus méchante que sa mère. Apprenant la mort de son mari, elle fut triste, mais seulement un petit moment. En effet, elle se rendit rapidement compte que désormais, elle pouvait devenir la reine de son pays.

Ses ministres protestèrent :

Mais, Votre Majesté, selon la loi, c'est un de vos fils qui doit devenir roi à son tour.

Dans un excès de rage, elle hurla : *Il n'en est pas question. Tuez-les tous ! Et mes petits-fils aussi ! Nul que moi ne dirigera ce pays !*

Pendant que les soldats parcouraient le palais et tuaient tous les princes, le prêtre Yoyada était prostré dans le Temple, pleurant et priant Dieu. Le grand bâtiment était sombre et vide ; la plupart des gens de Jérusalem craignaient Athalie et n'osaient se montrer là où l'on adorait Dieu.

Soudain, le prêtre entendit un froissement derrière lui. Se relevant, il vit sa femme entrer furtivement, un minuscule paquet dans les bras. Elle sanglotait : *Où pourrions-nous cacher ce prince ? Tous ses frères et ses oncles ont été massacrés. Je l'ai sorti du palais en cachette juste à temps.* Le vieux couple emporta le bébé dans une pièce secrète, à l'arrière du Temple.

Personne ne savait que Joas, le bébé, était encore en vie. Aussi, vécut-il pendant sept ans dans cette petite pièce, caché de tous et surtout de sa mauvaise grand-mère.

Il grandit et aima le vieux prêtre et sa femme, qui lui apprirent tout sur Dieu : **Dieu t'a gardé** *pour qu'un jour, tu fasses partie de son projet. Tel est son plan !*

La vie était terrible avec Athalie comme reine, et après sept ans d'un règne épouvantable, Yoyada le prêtre décida qu'il était temps de mettre un terme à sa cruauté. Secrètement, il fit venir au Temple les gens les plus importants du pays. Ils vinrent de partout, longeant furtivement le palais, afin qu'aucun espion de la reine ne les voie et ne les dénonce.

Il n'y avait presque plus de place lorsque tous furent entassés dans le Temple. Dans le brouhaha, on remarquait souvent la même question : *Qu'est-ce que le prêtre peut bien avoir à nous dire ? Et pourquoi a-t-il ressorti toutes les vieilles épées et les lances du roi David ?*

Yoyada demanda le silence, puis il posa une question qui laissa l'auditoire dans la surprise la plus complète :

Voudriez-vous voir votre véritable roi ?

Avant que chacun se soit demandé ce qui se cachait derrière cette question, le prêtre leur présenta le jeune Joas.

Nous pensions qu'il était mort ! murmurèrent-ils. Avec grand respect, ils virent alors le prêtre poser la couronne royale sur la tête du petit garçon.

Voici une copie des commandements de Dieu, dit Yoyada en donnant un rouleau à Joas. *Si tu observes ces commandements, tu seras un bon roi.*

Après cela, nul ne pouvait rester silencieux. Les trompettes sonnèrent et les gens acclamèrent et applaudirent le nouveau roi.

Quelle est cette clameur ? demanda Athalie. Elle se précipita sur le parvis du palais pour voir ce qui se passait. Là, en haut des marches du Temple, se tenait son petit-fils entouré d'hommes, l'épée à la main.

Trahison ! hurla-t-elle dans une rage terrible. Ce furent ses dernières paroles. Les soldats la tirèrent hors du palais et la tuèrent.

Le jeune Joas fut emmené au palais au milieu des acclamations. On le plaça aussitôt sur le trône.

Les gens étaient enfin libres d'adorer Dieu à Jérusalem, comme ils le faisaient dans le nord, en Samarie. Le jeune roi grandissait et il aimait se rendre au Temple où il avait été caché si longtemps.

DANS UN POISSON

Mais Seigneur ! Les Assyriens sont un peuple terrible ! Certainement, tu ne peux les aimer ! bredouilla le prophète avec dégoût.

Dieu répondit avec fermeté : *Mais si ! Va à Ninive, la ville corrompue, et dis à ses habitants que s'ils ne changent pas de comportement, je devrais les détruire tous.*

Jonas était vraiment très fâché face à cet ordre. En son for intérieur, il se dit : *Je ne le ferai pas ! Ce sont nos ennemis ; je veux qu'ils soient détruits !*

C'est pourquoi, au lieu de traverser le désert en direction de Ninive, comme Dieu le lui avait demandé, il monta à bord d'un bateau qui partait tout à fait à l'opposé. Il oubliait que l'on ne peut fuir Dieu. **Dieu est partout**.

Je serai bientôt en sécurité en Espagne ! pensa-t-il avec bonheur, en s'endormant. Mais lorsqu'il s'éveilla, une terrible tempête secouait le bateau. Le navire craquait et grinçait alors que d'immenses vagues s'abattaient sur le pont et tandis que le vent hurlait autour du mât.

Les marins se lamentaient : *Nous allons sombrer !* De son côté, Jonas tentait de réfléchir : *Dieu doit être en colère contre moi ! Ne lui ai-je pas désobéi ?*

Jetez-moi par-dessus bord, cria-t-il au capitaine. *Cette tempête est entièrement de ma faute.*

Jonas coula à pic sous les vagues furieuses. L'eau salée le suffoqua et les algues s'emmêlèrent autour de sa tête. *Je vais mourir !* pensa-t-il. Mais Dieu envoya un grand poisson qui nageait alentour et l'avala tout cru.

Ce n'est pas très agréable de se retrouver dans l'estomac d'un poisson. C'est très noir et ça sent plutôt mauvais. Mais dès que Jonas eut dit à Dieu qu'il était désolé de sa conduite, le poisson nagea vers la côte et le rejeta sur la plage.

Jonas était en train de se sécher au soleil lorsque Dieu lui dit : *Maintenant, tu vas à Ninive !*

Oh non ! grommela Jonas, mais cette fois il n'osa plus désobéir.

Dans quarante jours, Dieu vous exterminera tous ! criait-il pour couvrir les bruits des rues animées de Ninive. Les foules s'assemblèrent autour de lui, et bientôt, les gens commencèrent à pleurer. Lorsque le roi entendit ce que Jonas disait, il descendit de son trône doré, enleva ses beaux habits et se couvrit d'un vieux sac sale.

Personne dans la ville ne doit manger ou boire ! ordonna-t-il. *Chacun doit prier afin que Dieu nous pardonne.* Dès que Dieu entendit leurs prières et vit qu'ils regrettaient tous leur conduite, il décida qu'il n'était plus utile de détruire la ville.

Jonas était fâché. Il rouspétait encore : *Je savais bien que cela devait arriver ! Dieu est tout simplement trop bon. Ces gens terribles méritaient de mourir.*

En colère, il quitta Ninive et monta sur une colline toute proche, dans l'espoir de voir encore la cité détruite par le feu. Mais, bien-sûr, il ne se

passa rien. Le soleil frappait fort et lui donna mal à la tête. Il se sentit malade, il avait soif et était plus fâché que jamais : *C'est pire que l'estomac du poisson !*

La voix de Dieu le fit sursauter : *Pourquoi es-tu autant en colère contre moi ? J'ai créé chaque personne de cette ville, tout comme je t'ai créé. Ai-je tort d'aimer les hommes ?*

Jonas s'assit et pensa longtemps à ce que Dieu lui avait dit. Puis il rentra à pied chez lui et raconta cette histoire dans un livre. Il expliquait : *Maintenant, les hommes de toute la terre doivent savoir que Dieu les aime tous.*

2 Chroniques 26

LE GRAND INVENTEUR

LE ROI OZIAS était toujours occupé à inventer. *Nul ennemi ne me vaincra tant que je régnerai à Jérusalem !* pensa-t-il en grimpant sur les remparts de la ville.

Travailleurs ! Bâtissez des tours à chaque angle de ces murs. J'ai inventé des catapultes géantes pour envoyer des pierres et des flèches à toute armée qui s'aventurerait trop près.

Lorsqu'il fut fatigué de combattre les Philistins et de construire des châteaux, il consacra son temps à l'agriculture. Il était sûr de faire un meilleur travail que les fermiers.

Ainsi, il fit pousser de merveilleux fruits et légumes dans tout le pays et trouva la façon de produire des animaux plus gros et plus forts.

Il y avait de la bonne nourriture en quantité, et tous ses sujets reconnurent qu'il était un grand roi.

Content de lui, il pensait : *Oui, je suis plutôt intelligent ! Dieu doit être content d'avoir pour roi un homme comme moi.*

Assis fièrement dans le Temple, il remarqua les prêtres qui se dépêchaient d'offrir à Dieu les cadeaux du peuple et brûlaient l'encens odorant. Il se mit à réfléchir : *Je pourrais inventer de bien meilleures façons d'organiser tout cela ! Je vais montrer à ces prêtres comment diriger le Temple.*

Alors, il prit le brûleur d'encens et entra dans la partie la plus sacrée du Temple. Quelle imprudence ! Dieu avait ordonné que personne n'y entre à part les prêtres.

De tous les coins du grand Temple, les prêtres accoururent, horrifiés. Ils s'écrièrent : *Votre Majesté, seuls les prêtres de la famille d'Aaron peuvent brûler l'encens. Sortez du Lieu Saint tout de suite. Il vous est interdit d'y pénétrer !*

Ozias fut offusqué et répondit avec orgueil : *A qui croyez-vous donc parler ? Je suis le plus grand roi qui ait jamais existé. Je fais comme je veux.* Mais il oubliait que **Dieu ne tolère pas les orgueilleux.**

Soudain, le roi apparut. Les prêtres reculèrent avec horreur. De vilaines taches blanches apparaissaient sur le visage d'Ozias. *Sa majesté a la lèpre !* se lamentèrent-ils.

Personne, avec la lèpre, n'était admis dans le Temple ; c'est pourquoi les prêtres poussèrent Ozias au-dehors par la porte de derrière. Dès qu'il comprit la conséquence de son orgueil, le pauvre roi descendit la rue en pleurant.

Tous avaient tellement peur d'attraper la lèpre, que le roi dut vivre dans une maison isolée jusqu'à la fin de ses jours. Nul ne l'approcha plus. Son fils gouverna le pays à sa place et le règne d'Ozias l'inventeur s'acheva là.

Esaïe 6, 9, 14, 40, 50, 53

L'HOMME QUI CONNAISSAIT LE SECRET

JE VOIS DIEU ! s'écria ébahi, un jeune homme du nom d'Esaïe. Il était venu prier dans le Temple et se trouva soudain comme transporté au ciel. Là se trouvait Dieu lui-même, assis sur un grand trône entouré d'anges.

Le Temple tout entier parut trembler et le pauvre Esaïe fut terrifié.

Dieu déclara : *J'ai un message pour les hommes de mon peuple ! S'ils ne me suivent pas et ne gardent pas mes commandements, ils seront en grand danger. Leurs ennemis viendront et les emmèneront au loin en esclavage. Ils brûleront leurs maisons et détruiront même le Temple. Qui ira les avertir de ces terribles choses ?*

Esaïe, auditeur attentif, pensa : *Sûrement, quelqu'un va se proposer ! C'est un message terrible et urgent.* Mais au ciel, nul ne dit mot, et les anges se couvrirent le visage de leurs ailes.

Alors, le jeune homme s'entendit répondre : *J'irai et je leur dirai ces choses de ta part !*

Alors, **il devint l'ami de Dieu**, et l'Eternel confia à Esaïe son grand secret. Le jeune homme ne pouvait en croire ses oreilles !

Dieu expliqua : *Un jour, je montrerai au peuple qui je suis exactement. Une jeune fille célibataire aura un enfant. Cet enfant extra-ordinaire sera mon fils. Il sera appelé Dieu puissant, Prince de la paix. Il vous dira tout à mon sujet.*

Esaïe, tout étonné, demanda : *Comment saurons-nous que ce grand roi, le Messie, arrive ?*

Avec complaisance, Dieu répondit : *Attendez la venue d'un prophète qui criera dans le désert. Ce prophète sera vraiment comme Elisée et vous dira quand vous devrez vous tenir prêts.*

Esaïe se dépêcha de faire part de ces grandes nouvelles, et tous commencèrent à espérer qu'un jour viendrait la personne appelée le Messie. Mais ceci se passait sept cents ans avant la naissance de Jésus. Le peuple a attendu et espéré sa venue pendant tout ce temps.

Dieu avait autre chose à dire à Esaïe, mais cette fois, ce message le rendit très triste. *Lorsque j'enverrai cet homme, les gens riront de lui et n'écouteront pas ce qu'il dira à mon sujet. Ils lui feront du mal et le battront, se moqueront de lui et arracheront ses cheveux. Il sera plus triste qu'aucun homme ne l'a jamais été. Puis les hommes le chasseront et le tueront.*

A cette nouvelle, Esaïe se mit à pleurer : *Non, non ! Ce n'est pas possible ! Pourquoi est-ce que tu ne les empêches pas de faire cela ?*

La réponse de Dieu étonna encore le jeune homme : *Parce que tout ceci fait partie de mon plan ! Personne n'observe mes commandements. Tous les hommes font le mal. Il n'est personne qui puisse venir au ciel et être avec moi. Vous méritez tous de mourir. Mais je vais laisser votre roi souffrir et mourir pour vous. Ceci ouvrira la voie pour que vous puissiez vivre éternellement avec moi au ciel.*

Je ne comprends pas, sanglota Esaïe. *Ce n'est pas juste !*

Alors, Dieu le rassura en prophétisant la chose la plus extraordinaire qui soit : *Mon Fils ne restera pas mort. Je le ferai revenir à la vie et il sera roi du monde entier, à jamais.*

A ce moment-là, personne ne pouvait comprendre ce dont Esaïe parlait, aussi il le mit par écrit très consciencieusement.

Lorsque Jésus mourut sur la croix des centaines d'années plus tard, et qu'ensuite il ressuscita, les gens lurent ce livre et réalisèrent vraiment tout ce que cela voulait dire.

2 Rois 18, 19 ; 2 Chroniques 32 ; Esaïe 36, 37

L'EMPEREUR GROSSIER

DES GENS DE TOUT LE PAYS accouraient à Jérusalem. Ils hurlaient : *Fermez les portes ! les Assyriens arrivent ! Qu'allons-nous devenir ?*

La voix du roi Ezéchias tentait de les rassurer : **Priez et faites confiance à Dieu !** Ezéchias se tenait sur les marches du Temple, Esaïe à ses côtés. Le peuple lui répliqua : *Mais les Assyriens envahissent le monde, ils brûlent les villes et tuent tous les habitants ; leur armée est si puissante qu'il n'y a plus d'espoir pour nous. Sans doute, aurions-nous dû écouter Esaïe !*

En effet, le prophète avait averti le peuple durant des années, tout comme il avait promis de le faire à son Seigneur. Esaïe avait l'habitude de rencontrer les gens à la porte du Temple, et leur disait : *Vous venez prier ; vous paradez dans vos plus beaux vêtements comme des coqs orgueilleux, mais Dieu ne vous écoutera pas tant que vous serez avares envers les pauvres et cruels envers les enfants. Vous prétendez être bons. Repentez-vous et changez, sinon vous deviendrez tous de nouveaux esclaves.*

Maintenant, ils réalisaient qu'ils étaient vraiment en grand danger, aussi revinrent-ils à Dieu.

Le roi affirma : *Rappelez-vous que les Assyriens sont seulement des hommes ! Et Dieu est de notre côté.*

L'empereur des Assyriens, Sennakérib, était très rusé. Il envoya en éclaireurs trois hommes intelligents. *Faites-leur peur, impressionnez-les jusqu'à ce qu'ils ouvrent eux-mêmes les portes,* leur dit-il.

Des milliers de visages scrutaient nerveusement par-dessus les remparts de la ville, lorsque le trio arriva et cria le plus fort qu'il put : *Pourquoi n'abandonnez-vous pas ? Vous savez bien que vous ne pourrez pas résister longtemps. Vous êtes coincés dans cette ville comme des oiseaux en cage. Dieu ne vous aidera pas. Il n'a aucun pouvoir contre notre empereur. Ouvrez les portes et nous vous donnerons du vin, du raisin, ainsi que du pain et du miel.*

Les gens étaient terriblement affamés, mais personne ne bougea.

Ils faisaient enfin confiance à Dieu.

Alors les Assyriens essayèrent autre chose et envoyèrent une lettre au roi Ezéchias. Lorsqu'il l'eut parcourue, le roi fut vraiment effrayé. La lettre disait : *J'ai détruit le reste du monde.*

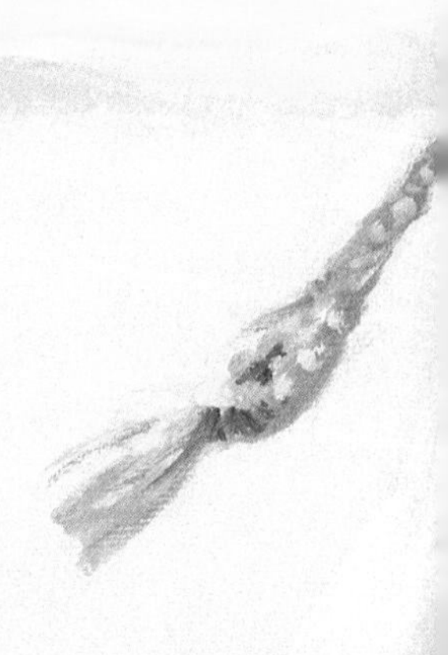

Maintenant, je viens pour vous. Dieu ne pourra rien faire lorsque je creuserai sous vos murs et que j'abattrai vos portes.

Aussitôt, Ezéchias courut jusqu'au Temple et parla de cette lettre effrayante à Dieu. Il pria : *Que dois-je faire ?*

La réponse de Dieu leur parvint immédiatement par l'intermédiaire d'Esaïe : *Sennakérib s'est montré grossier envers moi, c'est pourquoi je vais prouver au monde entier qui je suis vraiment. Aucune flèche ne sera tirée contre Jérusalem, et je ferai retourner Sennakérib tout honteux à Ninive comme un taureau que l'on mène par un anneau dans le nez.*

Cette fois-ci, on ne crut pas aux propos d'Esaïe parce qu'on voyait bien l'immense armée camper tout autour de la ville. Mais la nuit venue, les soldats ennemis attrapèrent une terrible maladie et au matin, ils étaient tous morts sous leurs tentes. Sennakérib était si affligé qu'il partit en trébuchant. C'est alors que deux de ses propres fils le poignardèrent à mort.

C'est ainsi que le monde entier sut qu'il était dangereux d'injurier Dieu. Tout le peuple accourut dans son Temple pour lui offrir des cadeaux.

Esaïe 38, 39 ; 2 Chroniques 32, 33 ; 2 Rois 20, 21

LE PLUS MECHANT GARÇON DU MONDE

UN JOUR, le roi Ezéchias était très malade et la visite d'Esaïe ne parvint pas à lui remonter le moral. *J'ai bien peur que Dieu ne dise que tu vas mourir !* annonça le vieux prophète avec tristesse.

Lorsqu'il fut parti, Ezéchias se tourna contre le mur et pleura amèrement : *Dieu, s'il te plaît, guéris-moi.* Dieu entendit sa voix et envoya Esaïe, qui revint promptement dans la chambre du roi, quelques minutes plus tard.

Maintenant, il était souriant et lui confia : *Dans trois jours, tu iras mieux, et tu dirigeras encore le pays pendant quinze ans.*

Ces quinze ans de sursis furent, hélas, néfastes pour tous. Ezéchias commit deux erreurs.

D'abord, des visiteurs très élégants arrivèrent d'un endroit appelé Babylone.

Ezéchias les reçut dignement et leur fit visiter le Temple. Il ne pouvait s'empêcher d'en tirer orgueil : *Vous allez voir comme notre Temple est magnifique ! Et regardez, voici les pièces secrètes où sont cachés les trésors du Temple.*

Esaïe était furieux : *Pourquoi a-t-il fallu que tu leur montres tout cela ? N'as-tu pas remarqué la lueur de convoitise dans leurs yeux ? Un jour, les Babyloniens reviendront et nous voleront tout.*

Mais Ezéchias ricanait : *Jamais ! Babylone est bien trop loin !*

Hélas, il se trompait !

La deuxième chose qui arriva pendant ces quinze années, fut la naissance d'un fils à Ezéchias : Manassé.

C'était sûrement le garçon le plus méchant de la terre. Il fut la cause de problèmes dès qu'il sut ramper. Quoi que son père lui demandât, il faisait toujours le contraire !

Lorsque Manassé eut seulement douze ans, il devint roi, et plus personne ne put l'empêcher de faire du mal quand il en avait envie. *Mon père aimait Dieu,* grogna-t-il. *Mais je pense qu'il serait beaucoup plus amusant d'adorer l'ennemi de Dieu, Satan.*

Bientôt, il tua tant de personnes que les rues de Jérusalem furent rouge de sang. Les sorcières et les magiciens étaient partout, et des statues de Baal furent même placées dans le Temple.

Beaucoup de gens étaient ravis. Ils en avaient assez des prophètes qui leur disaient toujours ce qu'il fallait faire et ce qui n'était pas permis. Ils disaient : *Sans Dieu, nous pouvons enfin faire ce que nous voulons.*

Hélas, ils se trompaient aussi.

Dieu envoya leurs ennemis, les Assyriens, attaquer Jérusalem. Il permit l'invasion de la ville et Manassé fut fait prisonnier, emmené enchaîné à Ninive. Dans le cachot sombre et humide où il avait été jeté, Manassé pleurait en se rappelant les jours de son enfance : *Mon père me disait souvent combien* **Dieu est bon !** *Mais je me demande s'il pardonne encore à quelqu'un d'aussi mauvais que moi.*

Dieu pardonna bien-sûr ! Et il permit que les Assyriens libèrent Manassé, qu'il soit de nouveau roi à Jérusalem.

Les gens avaient du mal à reconnaître Manassé ; il était si différent ! Il parcourait le pays, brûlant les statues de Baal et chassant les sorcières. Cependant, le peuple avait pris de mauvaises habitudes. Il était vraiment devenu méchant.

Les gens avaient oublié Esaïe et son avertissement sur ce qui arriverait s'ils n'obéissaient pas aux commandements de Dieu.

2 Chroniques 34, 35

LE LIVRE PERDU

LORSQUE JOSIAS DEVINT ROI, il n'avait que huit ans. Beaucoup se souvenait que son grand-père, Manassé, monté sur le trône très jeune lui aussi, avait été un très méchant roi. Les adorateurs de Baal se demandaient s'ils pourraient influencer Josias sur cette même voie.

Cependant, le jeune roi semblait différent. **Il n'était encore qu'un enfant, mais il décida d'aimer et de suivre toujours Dieu.** Il se sentait triste quand il regardait le vieux Temple décrépi, sur le point de s'écrouler : *Un jour, quand je serai grand, je le restaurerai !*

Puis, un jour, tous les ouvriers arrivèrent pour ce travail. Le grand prêtre n'était pas très content : *Qu'est-ce qu'ils font comme bruit ! Et maintenant, il faut que je range mon débarras pour qu'ils puissent travailler ici demain.*

En nettoyant le Temple, un ouvrier trouva, derrière une tenture, une porte murée. Bien vite, le grand prêtre fut sur place : *Je ne sais ce qu'il a derrière ! Peut-être a-t-on caché quelque chose dans cette pièce, puis l'a-t-on camouflée !*

On démolit alors cette porte murée.

Regarde, voilà des rouleaux et des manuscrits très anciens ! dit son secrétaire, très étonné. *Je crois que nous devrions informer le roi de ces découvertes !*

Le grand-prêtre et son entourage arrivèrent tout essoufflés chez Josias : *Votre Majesté, je crois que nous avons trouvé une partie du vieux livre de Moïse,* dit le grand-prêtre.

Des centaines d'années auparavant, lorsque le peuple avait conclu l'alliance avec Dieu, Moïse avait rédigé un livre. Il avait mis par écrit les commandements de Dieu, et ce qui arriverait au peuple s'il ne respectait pas ces commandements. Puis il avait placé les rouleaux dans la boîte en or appelée l'Arche.

Moïse avait déclaré :

Tous les sept ans, vous devez les sortir et lire à haute voix le livre au peuple. En ces temps-là, il était courant que seuls les prêtres sachent lire.

Mais nous ne l'avons pas fait depuis des années, reconnut le grand prêtre au roi. *Nous ne savions même pas que ce livre existait. Ce n'est pas étonnant que le peuple ait rompu l'alliance avec Dieu !*

C'est affreux, laissa échapper le roi, *lorsqu'on lui lut le livre. Toutes ces terribles choses vont bientôt nous arriver.* Il était si triste qu'il pleura et dit au grand prêtre : *S'il te plaît, va demander à Dieu ce que nous devons faire.*

Esaïe était mort depuis longtemps, mais Dieu avait comme porte-parole une femme nommée Houlda.

Ce qu'elle leur dit les rendit encore plus tristes : *C'est trop tard maintenant ! Dieu déclare que le peuple s'est détourné de lui jusqu'au plus profond des cœurs. Toutes les menaces inscrites dans les rouleaux de Moïse se réaliseront.*

Le jeune Josias était désespéré. Mais il pensait que la bonté de Dieu n'était pas terminée : *Peut-être Dieu va-t-il changer d'avis! Convoquez tout le peuple au Temple, les vieux et les jeunes, les riches et les pauvres : le livre doit être lu à tous.*

Et Dieu décida de répondre à Josias parce qu'il voyait son cœur bien disposé.

Tout le reste de sa vie, Josias travailla très dur pour ramener le peuple à Dieu. Mais ce peuple fit seulement semblant de suivre Dieu.

Les hommes continuèrent à se montrer cruels envers les enfants orphelins, et avares envers ceux qui n'avaient pas d'argent. Cependant à cause de Josias, Dieu leur accorda une dernière chance.

Jérémie 1, 20, 29, 36, 33

LE PROPHETE DONT PERSONNE NE VOULAIT.

AVANT MÊME LA NAISSANCE de Jérémie, Dieu l'avait choisi ; et alors qu'il était encore un jeune homme, Dieu lui parla :

Va annoncer à mon peuple que c'est leur toute dernière chance de revenir à moi !

Je ne suis pas un prophète, balbutia Jérémie. *Je suis trop jeune ; je ne saurais pas quoi dire.*

Aussi Dieu descendit du ciel et toucha les lèvres de Jérémie. Il le rassura avec bonté : *J'ai mis mes mots dans ta bouche !*

Jérémie se rendit au marché très fréquenté de Jérusalem. D'une voix forte pour couvrir tout le bruit, il lança : *Ecoutez ! Dieu vous aime. Il veut votre bonheur. Rappelez-vous comment il a toujours pris soin de nous lorsque nous étions proches de lui. Mais vous vous êtes détournés de lui. Il annonce maintenant qu'il nous détruira, nous et nos villes, si vous ne changez pas.*

Hélas, personne ne l'écoutait ! Chacun s'en retourna à ses affaires en se moquant de Jérémie.

Alors il interpella les enfants qui étaient occupés à ramasser du bois pour le feu.

Nous n'avons pas le temps de t'écouter, crièrent-ils en retour. *Nous allons faire cuire des gâteaux et les offrir à la lune ; c'est la reine du ciel notre déesse.*

Non, non ! s'écria Jérémie horrifié. *Ne savez-vous pas que* **c'est Dieu qui a fait le monde et la lune !** *Lui seul peut nous aider.* Mais les enfants rirent et s'en allèrent.

Jérémie, accablé, pensa :

Peut-être les prêtres dans le Temple vont-ils m'écouter. Mais ces derniers se mirent en colère lorsque Jérémie les avertit et annonça que Dieu allait envoyer du nord un ennemi terrible qui détruirait leur Temple.

Il raconte des mensonges, dirent les hommes qui se prétendaient prophètes. *Dieu dit qu'il continuera à prendre soin de son peuple quoi que nous fassions*.

Le prophète Pachehour fit fouetter Jérémie et le fit enchaîner hors du temple. *N'entre plus jamais ici !* le menaça-t-il.

Le matin, une foule de gens grossiers entourèrent Jérémie pour se moquer de lui : *Rien de ce que tu dis n'arrivera réellement !*

Lorsqu'il fut libéré, Jérémie marcha solitaire dans une allée sombre. Il était si triste qu'il pleura : *Personne ne m'écoute. Je ne dirai plus un mot. Je vais laisser Dieu accomplir ses menaces ; ils l'ont mérité.*

Mais Dieu aimait tellement son peuple qu'il dit à Jérémie : *Ecris dans un livre tout ce que je t'ai dit.* C'était extrêmement difficile, parce que Jérémie ne savait pas écrire. Aussi demanda-t-il à son ami Baruch de l'aider.

Jérémie, une fois le travail terminé, demanda à Dieu : *Que faire de ce livre maintenant ?* L'Eternel lui conseilla de le faire lire à haute voix par Baruch, dans le Temple.

Le secrétaire de Jérémie partit donc à Jérusalem et il revient tout excité.

On m'a pris le livre pour le montrer au roi ! Le visage de Jérémie s'éclaira : *Magnifique ! Si seulement ce livre touche le roi comme celui de Moïse a touché Josias, alors Dieu sera honoré !*

Mais le roi n'était pas quelqu'un de bien, comme Josias l'avait été. Il s'assit dans son palais qu'il avait peint en rouge vif, et éclata de rire à la lecture du livre de Jérémie. Puis il découpa le livre avec un couteau et le jeta au feu.

Le pauvre Jérémie fut jeté en prison, et tout le monde sembla l'oublier. Mais pas Dieu. Il avait encore du travail à confier à son prophète.

Jérémie 37, 38, 33 ; 2 Rois 25 ; 2 Chroniques 36

CATASTROPHE A JERUSALEM

DIEU OBSERVAIT L'ACTION du grand roi de Babylone, Nabucodonosor. Il pensait avec tristesse : *Je vais devoir utiliser cet homme et lui permettre de punir mon peuple puisqu'il n'écoute pas Jérémie !*

Nabucodonosor était décidé à diriger le monde entier, et il se croyait l'homme le plus intelligent du monde. Il ne devina jamais qu'il faisait partie d'un plan de Dieu et qu'il était manipulé comme une marionnette.

Nabucodonosor déclara :

J'ai entendu dire que le Temple de Jérusalem est plein d'un merveilleux trésor ! Nous allons nous y rendre et prendre ce trésor. Aussi se mit-il en route avec son armée, et ils encerclèrent les murs de Jérusalem, tout comme Jérémie l'avait annoncé.

Le roi de Judas fut paniqué : *Qu'allons-nous faire ? Où est cet homme, ce Jérémie ? Il pourrait prier pour nous.* Il envoya le prêtre Pachehour faire sortir Jérémie de prison.

Dieu nous a sauvé par le passé, lorsque notre ville était en danger, se souvint le roi. *Qu'est-ce que Dieu nous dit de faire maintenant ?*

Jérémie répliqua :

Il dit d'ouvrir les portes et de nous rendre ! Parce que, en vérité, vous ne regrettez pas vraiment tout ce que vous avez fait. Vous avez seulement peur !

Le prêtre Pachehour était furieux : *Tu inventes ! Tu veux notre mort !* Et traînant Jérémie de nouveau en prison, il le jeta dans une profonde citerne.

Pauvre Jérémie ! Au fond de son trou, les pieds dans la boue, il était découragé : *Je n'ai plus qu'à mourir ici !* Mais **Dieu s'occupait de lui.**

Un africain, homme bon qui travaillait dans la prison, sortit Jérémie du puits à l'aide d'une corde. Puis, il alla voir le roi : *Ce n'est pas juste de traiter ainsi Jérémie !*

Or, depuis quelques temps, le roi se demandait si Jérémie n'avait pas raison. Il déclara : *Laissez-le dans le jardin de la prison et donnez-lui correctement à manger. Mais pas un mot de ceci aux prêtres !*

Un jour Nabucodonosor parvint à renverser et à abattre les murs de Jérusalem. Il entra dans la ville. Toutes les belles maisons et les palais furent brûlés, le trésor volé, et pire que cela, le Temple doré de Salomon fut saccagé.

Toute personne bonne à quelque chose viendra avec nous et travaillera pour nous, promulga le roi Nabucodonosor. *Nous prendrons tous les maçons, charpentiers, bijoutiers et écrivains ; tous les cuisiniers, chanteurs et danseurs. Seront aussi du voyage, les belles femmes et les jeunes hommes forts. Seront abandonnés ici les malades, les vieux et les pauvres.*

Et le peuple fut déporté, réduit à l'esclavage. Jérémie se retrouva seul dans la ville déserte et détruite. Il passait son temps à errer parmi les pierres noircies et priait pour ceux qui étaient partis si loin.

Satan pensait vraiment avoir complètement ruiné les plans de Dieu, mais il se trompait.

Daniel 1

LES QUATRE PRINCES

LE SABLE DU DÉSERT ÉTAIT BRÛLANT et les chaînes entraient douloureusement dans les chevilles des esclaves. Ils étaient traînés de force sur la route de Babylone durant des centaines de kilomètres jusqu'à ce qu'ils ne puissent plus se tenir debout.

Parmi les prisonniers, il y avait quatre princes très amis. L'un deux, Daniel, dit à ses compagnons : *Quoi qu'il arrive nous resterons tous les quatre fidèles à Dieu et garderons tous ses commandements. Il ne faut pas commettre la même erreur que notre roi !*

Les autres approuvèrent : *Nous serons comme notre oncle, le bon roi Josias.*

Lorsqu'ils arrivèrent au palais de Babylone, ils ne purent en croire leurs yeux. Ils découvrirent l'endroit le plus beau du monde, avec des fleurs débordant de jardinières un peu partout.

Ces Juifs sont des gens intelligents, songea le roi Nabucodonosor, lissant sa barbe noire. *Si je dois gouverner le monde, j'aurais besoin de gens comme eux pour m'aider dans le travail administratif.* Il se tourna vers son serviteur Achepénaz et lui dit : *Recherche les garçons les plus forts et les plus brillants parmi ces esclaves et enseigne-leur à lire et à écrire notre langue. Dans trois ans, je ferai travailler les meilleurs d'entre eux dans mon palais !*

Daniel et ses trois cousins étaient ravis d'être choisis pour cette nouvelle école : *La vie à Babylone ne sera peut-être pas aussi mauvaise que nous l'avions craint.*

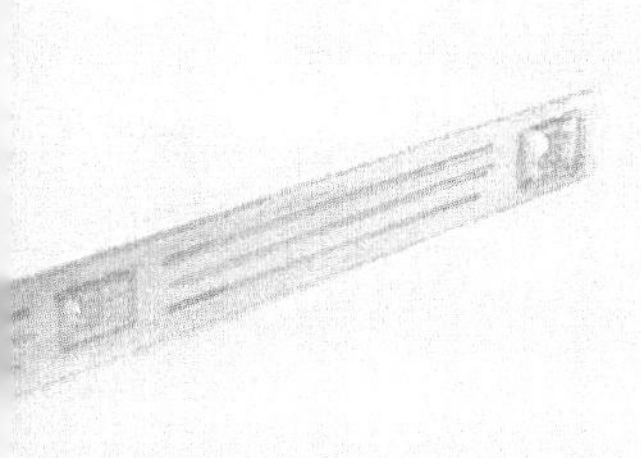

Mais lorsqu'ils entrèrent, au moment du repas, dans la salle à manger de l'école, ils commencèrent à s'inquiéter : *Qu'allons-nous faire ? C'est le genre de nourriture que Dieu nous interdit de manger !* **Nous avons promis de toujours garder ses commandements**, *mais dans ce cas, nous pourrions être renvoyés de l'école.*

A cet instant, Achepénaz les vit murmurer. *Mangez vite !* dit-il méchamment. *Vous avez beaucoup de chance, les garçons ; cette nourriture et ce vin viennent de la cuisine même du roi.* Daniel, la gorge serrée, lui annonça :

S'il vous plaît, monsieur, mes cousins et moi-même sommes désolés, mais notre Dieu ne veut pas que nous mangions certaines de ces viandes !

Si vous commencez à avoir mauvaise mine et à maigrir, cria Achepénaz, *le roi vous mettra en prison et il me coupera la tête.*

Daniel fit une proposition à l'intendant. Il accepta de ne manger que des légumes pendant dix jours et alors, on verrait si lui et ses amis auraient une mauvaise mine.

Au bout du délai de dix jours, Achepénaz examina les quatre princes : *Vous avez l'air en parfaite santé ! Vous pouvez manger ce que vous voulez.*

Ce ne fut pas très agréable de ne vivre que de légumes pendant trois ans, mais Dieu aida les princes et ils apprirent plus vite qu'aucun des autres garçons.

Finalement, il fut temps pour eux d'aller devant le roi. Le grand examen dura une journée entière, et les questions furent très difficiles. Chaque garçon espérait être choisi comme l'un des plus sages parmi les conseillers du roi.

Nabucodonosor annonça son choix : *Nous retenons ces quatre candidats. Ils sont dix fois meilleurs que n'importe quel autre !*

Il venait de sélectionner les quatre princes qui avaient observé les commandements de Dieu.

Daniel 2, 3

LE CAUCHEMAR

LE ROI NABUCODONOSOR se dressa dans son lit en hurlant : *J'ai fait un rêve horrible,* se plaignit-il à ses serviteurs ensommeillés. *Allez immédiatement chercher tous mes conseillers.*

On entendit des bruits de pas dans tout le palais, mais personne ne pensa à réveiller les quatre princes juifs.

Lorsque les hommes les plus intelligents de Babylone se furent tous entassés dans la chambre, le roi exigea : *Dites-moi ce que mon rêve signifie.*

Personne ne sut et le roi entra dans une rage terrible : *Gardes ! Emmenez-les et tuez-les tous ! Ce ne sont que des incapables !*

Les soldats entrèrent dans la chambre des quatre princes et voulurent les emmener.

Ce n'est pas juste ! réagit Daniel. *Nous n'avons même pas été convoqués par le roi. Nous demandons un délai de réflexion et ensuite, nous dirons au roi le sens de son rêve !*

Nabucodonosor, toujours très irrité, leur donna jusqu'au matin pour trouver. Toute la nuit, Daniel et ses amis prièrent le Seigneur pour qu'il les éclaire. Au petit matin, le roi, installé sur son trône, réclama la réponse à sa question : *Comprenez-vous ce rêve ?*

Daniel prit la parole :

Pas moi, mais **Dieu sait toutes choses** *et il m'a indiqué ce que je dois vous dire. Votre majesté a rêvé d'une grande statue en or.*

En effet ! s'exclama le roi.

Le prince poursuivit : *Puis une pierre a dévalé la montagne et a réduit la statue en morceaux !*

Oui, oui ! dit le roi. *Mais qu'est-ce que cela signifie ?*

La statue en or, c'est vous ! répliqua Daniel. *Vous êtes le plus grand roi du monde. Mais un jour, dans de nombreuses années, Dieu enverra un roi qui n'aura pas l'air aussi important que vous, et pourtant il gouvernera le monde éternellement.*

Nabucodonosor déclara : *Tu es l'homme le plus intelligent du pays ! Toi et tes cousins allez m'aider à gouverner Babylone.*

Il semblait maintenant que tout se passerait bien pour eux, mais d'autres difficultés allaient survenir.

Je vais faire construire une statue identique à celle de mon rêve, pensa Nabucodonosor en se couchant cette nuit-là. *Elle sera la plus grande du monde, et tous se prosterneront devant elle.*

Il fut ravi lorsque la grande statue fut achevée, car il trouvait qu'elle lui ressemblait assez.

Convoquez à Babylone les personnes les plus importantes de la terre ! ordonna-t-il. *Et lorsque l'orchestre jouera, toutes devront s'incliner devant ma statue.*
Qu'allons-nous faire ? se demandèrent les cousins, au milieu de la foule immense qui attendait que la musique commence. *Ce serait désobéir aux commandements de Dieu que de nous prosterner devant cette statue. Mais nous sommes sûrs de mourir si nous ne le faisons pas.*

Daniel n'était pas avec eux ce jour-là, mais ils n'avaient pas besoin de son avis ; ils savaient quel était leur devoir.

Comme la musique commençait à résonner dans la plaine, tous s'inclinèrent jusqu'à ce que leurs têtes touchent le sol.

Mais trois hommes restaient debout, droits et grands.

Depuis le trône, on entendit la colère du roi.

Vous êtes dans de beaux draps ! dirent les soldats en s'emparant des trois princes et en les amenant auprès de Nabucodonosor.

Daniel 3, 4, 5

QUI ECRIT SUR LE MUR ?

LE ROI HURLAIT aux oreilles des trois princes arrêtés : *Comment avez-vous osé me défier devant tout le monde ? Ou bien vous adorez ma statue comme tous les autres, ou bien je vous fais jeter dans le feu. Nul dieu ne pourra alors vous protéger !*

Notre Dieu le pourra ! répliquèrent avec courage les princes. *Mais même si nous devons mourir, nous ne nous prosternerons jamais que devant notre Dieu.*

Hors de lui, Nabucodonosor ordonna : *Brûlez-les !*

Les ouvriers qui avaient fabriqué l'immense statue avaient utilisé des fours à très haute température, appelés fournaises ; ils y avaient fondu

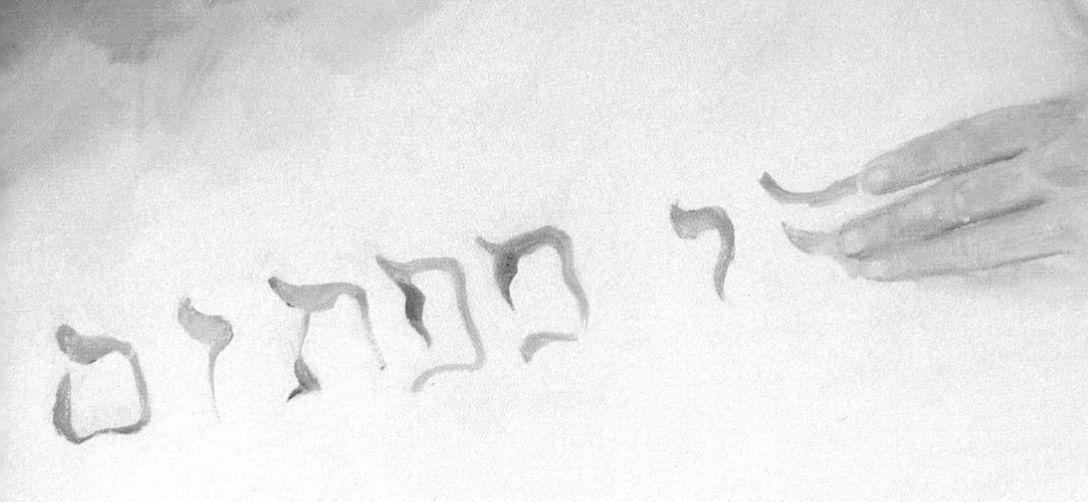

l'or. La chaleur était si terrible que les soldats qui y jetèrent les princes furent eux-mêmes dévorés par ce feu.

Le roi se rongeait les ongles de colère en regardant la fournaise. Puis, subitement, l'expression de son visage passa de la colère à la peur : *Regardez !* indiqua-t-il d'un doigt tremblant. *Ces hommes se promènent dans les flammes, et avec eux, il y a quelqu'un qui ressemble à Dieu lui-même.*

Lorsque les princes sortirent du feu, leurs habits n'étaient pas même noircis.

Votre Dieu est le roi de tous les dieux ! balbutia Nabucodonosor, et tant qu'il vécut, les princes juifs furent les hommes les plus respectés de Babylone.

Mais les choses furent bien différentes lorsque Baltazar, son fils, devint roi. Baltazar n'aimait pas les Juifs, aussi les envoya-t-il loin du palais.

Un jour, il voulut organiser une grande fête, pour son plaisir. Les conseillers pensèrent que ce n'était pas le moment : *Mais Votre Majesté, nos ennemis, les Perses, marchent sur Babylone.*

Les murs de notre ville sont plus épais que n'importe quel autre mur de n'importe quelle autre ville ! ricana Baltazar. *Les Perses n'entreront jamais ici !*

Lumières, musiques et rires remplirent donc le palais cette nuit-là. Le roi et ses amis étaient trop occupés à s'amuser pour remarquer que des soldats ennemis creusaient un passage secret sous les murs de Babylone.

Baltazar était presque ivre.

Il ordonna : *Allez chercher toutes ces coupes en or que mon père a rapportées du Temple de Jérusalem ! Nous les utiliserons pour boire à la santé de tous nos dieux.*

Dieu était furieux lorsqu'il vit ce qu'ils faisaient et soudain, le bruit de la fête se transforma en un silence bizarre.

Qu'est-ce que c'est ? dit le roi ébahi, pâlissant de frayeur. *Je vois une main géante qui écrit sur le mur !*

Personne ne sut lire les mots étranges qui brillaient à la lueur des chandeliers, et tous avaient peur. La reine-mère prit la parole : *Ton père avait avec lui un homme sage appelé Daniel ! Peut-être, pourrait-il nous aider ?*

A-a-a-allez le chercher ! bégaya le roi, et il trembla de peur jusqu'à l'arrivée de Daniel.

Alors, imperturbablement, Daniel lut les mots sur le mur et prophétisa en disant devant tous : *Ce message a été écrit par mon Dieu ! Il te dit que, dans peu de temps, tu ne seras plus roi.*

Peu après, des soldats Perses se faufilèrent dans la ville. Ils prirent Babylone et avant le matin, Baltazar fut assassiné.

Daniel 9, 6

DANS L'ANTRE DES LIONS

DANIEL ÉTAIT AGENOUILLÉ, près de la fenêtre ouverte de sa chambre. Il priait là trois fois par jour, le regard tourné vers Jérusalem. Il ne se préoccupait pas de la nouvelle loi du pays, qui ordonnait que pendant tout un mois nul ne devait prier son dieu.

Ce jour-là pourtant, à genoux dans sa chambre, priant pour Jérusalem, il tentait de se rappeler à quoi la ville ressemblait. Les larmes commencèrent à couler sur ses joues : *Dieu, s'il te plaît, pardonne à ton peuple, les Juifs ! Nous sommes désolés de nous être détournés de toi. Laisse-nous revenir à Jérusalem et rebâtir notre pays.*

A ce moment précis, quelque chose de merveilleux arriva. L'ange Gabriel en personne apparut soudain près de lui.

L'ange le réconforta et le consola :
Dieu t'aime ! *Il a entendu ta prière. Bientôt, Jérusalem sera reconstruite et, peu après, Dieu enverra son Messie. Mais lorsque les hommes feront injustement mourir le Messie, Jérusalem devra être de nouveau détruite.*

Daniel courba la tête et réfléchit à cet étrange message. Il ne remarqua pas que, dehors, ses ennemis étaient en train de l'observer.

Le nouveau roi, Darius, aimait beaucoup Daniel, et il lui avait donné un poste très important. Cela rendit les autres si jaloux qu'ils commencèrent à chercher une façon de se débarasser de Daniel.

Vous êtes si grand ! dirent-ils au roi. *Vous devriez montrer à tous que vous êtes aussi puissant qu'un dieu. Faites une loi qui interdise à quiconque de prier un autre dieu que vous ! Celui qui enfreindra cette loi sera jeté dans un enclos plein de lions affamés !*

Le roi fut très flatté, mais il ne réalisa pas que cette loi servait uniquement à piéger Daniel. Les ennemis du prince Juif savaient qu'il ne tiendrait pas compte de la loi, et continuerait à prier trois fois par jour, comme il l'avait toujours fait.

Rapidement, ils dénoncèrent Daniel au roi.

Darius était terriblement ennuyé : *Comment vais-je me débrouiller sans Daniel*. Tout le jour, il chercha un moyen de sauver son ami, mais les lois perses ne pouvaient pas être changées, pas même par le roi. Aussi, le soir, des soldats arrivèrent et jetèrent Daniel dans la fosse aux lions.

Puisse ton Dieu te garder en vie ! cria le roi en voyant disparaître Daniel. Tristement, il rentra au palais et alla se coucher sans souper. Toute la nuit, il tourna et se retourna, préoccupé par le sort du pauvre Daniel. Son Dieu pouvait-il le sauver ? Il avait bien sauvé, autrefois, ses trois amis dans le feu !

Dès qu'il fit jour, il se précipita vers l'antre des lions et fit ouvrir la lourde porte de pierre. *Daniel !* appela-t-il, *ton Dieu t'a-t-il sauvé ?*

La voix de Daniel monta : *Oui, Votre Majesté ! Son ange a fermé la gueule des lions.*

Darius était si content, qu'il fit sortir immédiatement Daniel. Quant aux ennemis du prophète, ils furent jetés dans la fosse. Les lions les mirent en pièces avant même qu'ils atteignent le sol !

Depuis ce jour, le roi Darius crut en Dieu, et ce, jusqu'à la fin de sa vie.

2 Chroniques 36 : 22-23 ; Psaumes137, 126 ; Esdras 1, 3, 4, 5, 6 ; Aggée 1 ; Zacharie 9 : 9

DE RETOUR !

LE NOUVEAU ROI, Cyrus, s'appuya au dossier de son fauteuil et sourit au vieil homme assis à côté de lui : *Daniel, j'aime entendre tes histoires au sujet de Dieu. Dis-moi... à quoi ressemble vraiment Jérusalem ?*

Mais les larmes roulaient sur le visage du vieux Daniel et il put à peine parler : *Jérusalem a brûlé, et le Temple est détruit. Nous, les Juifs, pleurons toujours lorsque nous y pensons. Quand nous avons des congés, nous allons près des rivières de Babylone, et essayons de chanter les cantiques dont nous nous souvenons. Quelquefois, nous pleurons tant que nous devons nous arrêter et laisser nos harpes.*

Alors le roi prit une décision incroyable : *C'est terrible ! Ton Dieu sera en colère contre moi si je laisse sa maison tomber en ruines. Je vais renvoyer les Juifs chez eux et payer pour la construction d'un nouveau Temple. Je vais même vous rendre tout le trésor de Dieu.*

Lorsqu'ils entendirent cela, les Juifs furent si heureux qu'ils crûrent rêver. Daniel pensa : **C'est bien ce que Dieu avait promis !**

La longue file de Juifs s'étirait maintenant sur des kilomètres. Des milliers de personnes marchaient le long de la route, poussant des chariots remplis de ce qu'elles possédaient. Derrière, peinaient les chameaux et les ânes portant sur leurs dos tout l'or du Temple.

Ils étaient si heureux qu'ils chantèrent tout le long du chemin. Mais lorsqu'ils arrivèrent enfin à Jérusalem, leurs chants se transformèrent en un silence peiné : *Comment allons-nous faire pour tout rebâtir ?*

C'est juste un tas de pierres noircies ! firent remarquer les enfants. Et les personnes âgées commencèrent à chercher l'emplacement de leurs anciennes maisons.

Le Temple était ici, expliqua le grand prêtre. *Nous allons commencer par offrir à Dieu, en plein air, les cadeaux que nous lui avons apportés !*

Tous commencèrent alors à relever la tête. Bientôt, ils chantaient si fort que l'écho retentit dans les collines et les vallées alentour.

Les Samaritains vivaient près de là dans le pays, et ils étaient furieux. *Nous ne voulons pas que ces Juifs reviennent ici !* dirent-ils en entrant dans Jérusalem comme un ouragan.

Les gens avaient commencé à rebâtir le Temple, pendant que les prêtres chantaient des cantiques; mais les Samaritains en colère leur firent tellement peur qu'ils laissèrent bien vite leurs outils. Ils en oublièrent presque de demander de l'aide à Dieu, ce qui le rendit très triste.

Un an plus tard, deux prophètes entrèrent dans la ville en ruines et observèrent avec dégoût ce qui se passait.

L'un deux, Haggaï, leur fit de sérieux reproches : *Tout ce à quoi vous pensez, c'est à des maisons pour vous-mêmes ! Mais le Temple de Dieu est toujours en ruines.*

Vous devriez préparer Jérusalem au retour de votre Messie ! ajouta le second prophète, Zacharie. *Un jour, il reviendra monté sur un âne.*

Tous furent si excités d'entendre cela, qu'ils recommencèrent la reconstruction aussitôt.

Les Samaritains les laissèrent en paix, pour un temps.

Mais Satan devait aussi avoir entendu parler du Messie, et il était très ennuyé : *Je ne veux pas que Dieu montre au peuple comment vivre éternellement,* siffla-t-il. *Et je ne veux pas qu'il apparaisse soudain à Jérusalem, monté sur un âne. Il est temps que je songe au moyen de tuer tous les Juifs de la terre, une bonne fois pour toutes.*

Et il y a presque réussi !

LA PLUS BELLE FILLE DU MONDE

NON, JE N'IRAI PAS ! Laissez-moi avec mon oncle Mardochée ! Les larmes roulaient sur les joues d'Esther, alors que les serviteurs du roi essayaient de l'emmener au palais.

Au lieu de revenir à Jérusalem avec les autres Juifs, l'oncle d'Esther était resté afin de veiller sur elle lorsqu'elle avait perdu ses parents.

Peut-être auraient-ils tous deux entrepris le voyage vers Jérusalem, quand elle aurait grandi, mais leurs projets furent remis en questions lorsque le roi eut une terrible dispute avec sa femme.

Je vais envoyer mes serviteurs à la recherche de la plus belle femme du monde, hurla le roi, *et elle te remplacera ! Elle deviendra reine !*

Des centaines de jolies filles furent heureuses d'être choisies pour participer à cette grande compétition, mais lorsque les serviteurs du roi remarquèrent la grande beauté d'Esther, elle fut la seule à être déçue d'être convoquée.

Son oncle lui conseilla : *Tu dois aller voir le roi, mais ne lui dis pas que tu es Juive.* **Rappelle-toi que Dieu est avec toi !**

Esther était si belle que le roi en tomba aussitôt amoureux. Tout le pays eut droit à un jour de repos pour fêter leur mariage. Mais la nouvelle reine regrettait terriblement son oncle. Elle n'avait plus jamais l'autorisation de lui parler. Chaque jour, Mardochée venait à la porte du palais et levait les yeux vers sa fenêtre.

Alors que Mardochée était là, Haman, le Premier Ministre, arriva à cheval pour rencontrer le roi. C'était quelqu'un de si important, que tous s'inclinèrent jusqu'à terre, sauf Mardochée ! *Pourquoi cet homme stupide ne s'incline-t-il pas devant moi ?* demanda Haman d'un ton sec.

Les serviteurs répondirent : *Parce que c'est un Juif, Monseigneur ! Ces gens ne s'inclinent que devant Dieu.*

Je le leur ferai regretter à tous cette attitude ! rugit Haman, tandis que Satan lui mettait une mauvaise idée en tête.

Le lendemain, Haman informa le roi : *Votre majesté, il y a de mauvais sujets, les Juifs, dispersés dans tout le royaume. Je pense qu'il serait plus sûr de s'en débarasser.*

Fais ce que tu veux ! bailla le roi.

Haman prit donc un siège pour rédiger cet ordre : *Le treizième jour du dernier mois de l'année, tout Juif devra mourir.*

Ces nouvelles parvinrent à chaque famille juive dans le monde, et ceux qui bâtissaient le nouveau Temple à Jérusalem en furent horrifiés.

La reine Esther, qui n'avait pas eu connaissance de cet ordre d'Haman, regardait anxieusement par la fenêtre.

Qu'est-ce qui se passait donc avec son oncle ? *Descends et va lui demander la raison de sa tristesse !* dit-elle à l'une de ses servantes, et elle apprit ainsi l'effrayante nouvelle.

Ton oncle souhaite que tu ailles demander de l'aide au roi ! ajouta la servante.

Esther se mit à pleurer : *Mais je ne peux pas faire cela ! Retourne le voir et dis-lui que personne ne peut rencontrer le roi, si lui-même ne l'a pas exigé. Quiconque passerait outre serait tué, et le roi ne m'a pas appelée depuis plus d'un mois !*

Elle attendit nerveusement le retour de la servante, mais le message secret que celle-ci lui glissa à l'oreille la fit trembler de peur : *As-tu oublié que tu es Juive toi aussi ? Tu devras mourir comme nous. Cependant, peut-être Dieu t'a-t-il fait reine pour nous sauver tous ?*

Esther prit alors une grave décision : *Dis à mon oncle que j'irai voir le roi ! Mais qu'il demande à tous les Juifs de prier pour moi.*

Esther 5, 6, 7, 8, 9, 10

LA REINE COURAGEUSE

LA REINE ESTHER marchait lentement vers la salle du trône, le cœur battant à tout rompre. *Tu ne peux pas entrer…*, balbutièrent les serviteurs, *le roi ne t'a pas demandé !*

Bien qu'elle sache qu'elle pourrait en mourir, Esther les dépassa et s'avança vers le trône d'or. Le roi leva les yeux des documents qu'il

lisait. Il remarqua que Esther était belle et lui pardonna aussitôt son intrusion. Esther en profita et prit la parole : *Je voudrais donner une fête pour vous ce soir ! Viendriez-vous ?*

Le visage du roi se détendit : *Avec plaisir ! Je viendrai avec mon Premier Ministre.*

Haman fut très content d'être invité à la soirée privée de la reine, et il retourna chez lui d'excellente humeur pour se changer. Mais soudainement, tout son bonheur se transforma en colère : *Ce Juif ne s'est toujours pas incliné devant moi !* grogna-t-il à sa femme. *Demain, je demanderai au roi la permission de le faire pendre.*

Lorsque la fête d'Esther se termina, le roi tout heureux lui parla avec passion : *C'était magnifique ! Très réussi ! Merci beaucoup ! Que puis-je t'offrir comme cadeau ?*

C'était là sa chance ! Mais la pauvre Esther était si nerveuse qu'elle ne sut que dire : *S'il vous plaît, revenez demain pour une autre fête.*

Peut-être le roi avait-il trop mangé, car il ne put s'endormir cette nuit-là. Il convoqua un serviteur : *Lis-moi quelque chose jusqu'à ce que je m'endorme !*

Mais l'histoire qu'on lui lut le fit se dresser de surprise dans son lit. Deux hommes avaient un jour essayé de le tuer, et un Juif appelé Mardochée l'avait sauvé. *Ah oui ! Je me souviens ! Quelle récompense lui ai-je donné pour cela ?* demanda-t-il au serviteur.

Aucune, Votre Majesté !

Je dois faire quelque chose à ce sujet ! pensa le roi.

Le matin, Haman se précipita au palais. Il avait l'intention de demander au roi la tête de Mardochée.

Le roi fut heureux de le voir : *Tu tombes bien, Haman ! Que dois-je faire pour quelqu'un qui m'a vraiment été agréable ?*

Haman était sûr d'être celui dont le roi parlait, et il pensa : *Je vais me servir de cette opportunité pour me débarrasser de Mardochée.* Aussi, avec un méchant sourire, il dit : *Votre Majesté, je mettrais cet homme sur votre meilleur cheval, je le promènerais à travers la ville et quiconque ne se prosternerait pas devant lui serait pendu.*

Parfait ! dit le roi. *Va et agis ainsi avec Mardochée ; tu peux même conduire le cheval.*

Haman rougit d'indignation.

Le soir, la fête de la reine se déroula de telle façon, que le roi se pencha par-dessus la table et dit : *Il doit bien y avoir quelque chose que je puisse faire pour toi, ma jolie reine !*

Esther respira profondément et pensa à tous les Juifs qui priaient pour elle : *S'il vous plaît, laissez-moi vivre ! Un méchant homme prévoit de me tuer, ainsi que mon peuple tout entier d'ici la fin de l'année.*

Le roi se mit dans une colère noire : *Qui est cet homme ?* Esther désigna Haman du doigt.

Le lendemain, ce ne fut pas Mardochée que l'on pendit, mais Haman. Le roi nomma l'oncle d'Esther au poste de Premier Ministre.

Dieu avait exaucé la prière de son peuple.

Tous les Juifs du royaume furent sauvés, grâce à une jolie fille qui faisait partie du plan de Dieu.

Néhémie 1, 2, 3, 4, 5, 6, 7 : 1-3

JERUSALEM EN DANGER

LES RUINES DE JÉRUSALEM paraissaient fantômatiques et tristes sous la clarté de la lune, alors que le petit âne se frayait un chemin à travers les arbres abattus.

Néhémie se promenait et réfléchissait à propos du trésor placé dans le nouveau Temple. Comme il serait facile à l'ennemi de s'y glisser et de le voler ! *Je ne serai pas heureux tant que je ne verrai pas de hautes murailles entourer de nouveau la ville, ainsi que des rues et des échoppes où l'on ne voit pour l'instant que des chouettes et des chauve-souris !*

Il venait juste d'arriver de Perse où il avait travaillé pour le roi. Un jour, son frère était arrivé au palais, apportant de terribles nouvelles de Jérusalem : *Autour du nouveau Temple, notre ville est toujours en ruines, mais nous avons tous bien trop peur des Samaritains pour reconstruire !* Néhémie était venu voir s'il pouvait être d'une aide quelconque. Il dit au peuple effrayé : *Il faut se mettre au travail très rapidement ! Pourquoi craindre les Samaritains ?* **Dieu est plus fort que n'importe qui !**

Ils avaient tout juste commencé à rebâtir, lorsque les chefs des Samaritains, Samballat et Tobia, arrivèrent. Ils se moquèrent des efforts des habitants de Jérusalem : *Quelques misérables Juifs ne peuvent reconstruire une grande ville,* railla Samballat. Et Tobia ajouta : *Même un renard, d'un coup de queue, pourrait abattre ce mur !*

Néhémie ne dit rien, mais calmement, il priait.

Au fur et à mesure que les murs s'élevaient, les Samaritains s'arrêtèrent de rire : *Cela pourrait devenir sérieux ! Nous devons nous regrouper en armée et les attaquer avant que les remparts ne soient terminés.*

Les Juifs, terrifiés, se cachèrent dans les collines et affûtèrent leurs flèches. Néhémie les encouragea : *Ne vous en faites pas ! Souvenez-vous seulement que Dieu est grand ! Il nous aidera à terminer le mur avant leur arrivée.*

Il donna une arme à chacun et ajouta : *N'arrêtez pas le travail ; gardez juste une épée à la ceinture et un bouclier à portée de main. Si vous entendez ma trompette, alors combattez pour défendre vos vies.*

Depuis l'aube jusqu'au soir où les étoiles apparurent, tous travaillèrent ensemble, en chantant. Même les enfants transportaient des seaux d'eau, pendant que leurs mères mélangeaient le ciment. Personne n'osa se déshabiller pour la nuit, et ils gardaient toujours leurs épées à leurs côtés.

Ils sont trop forts pour nous, murmurèrent les Samaritains en regardant les murs s'élever chaque jour un peu plus haut. *Nous devons faire peur à Néhémie pour qu'il parte.*

Le lendemain, un vieux prophète se rendit à Jérusalem. *J'ai un message de Dieu pour toi !* dit-il à Néhémie. *Dieu dit que tu es en grand danger ! Vite, cours et réfugie-toi dans le Temple !*

Néhémie regarda durement le vieil homme et dit : *Dieu ne me demanderait jamais de m'enfuir. Samballat et Tobia ont dû te payer pour me faire peur, n'est-ce pas ?* Le prophète rougit et ce fut lui qui s'enfuit.

Un jour, les soldats ennemis entendirent un bruit bizarre. Comme ils se glissaient plus près de la ville, ils eurent la surprise de voir que les murs étaient terminés. A leur sommet, les Juifs dansaient, chantant à Dieu de toutes leurs voix, accompagnés par des musiciens et par les applaudissements des enfants. *Nous arrivons trop tard !* dirent-ils en colère. *Leur Dieu a gagné.*

Néhémie 8, 9, 10, 13 : 4-31 ; Esdras 7 ; Malachie 1 : 2, 3 : 1, 10-12, 4 : 2

UNE SEMAINE DE FETE

NÉHÉMIE ÉTAIT SI HORRIFIÉ qu'il ne pouvait en croire ses yeux. Il était reparti en Perse travailler de nouveau pour le roi, puis il revint à Jérusalem. Aussitôt, il constata que quelque chose clochait.

C'est le jour du sabbat, pensa-t-il, *mais les gens travaillent dans les fabriques de vin et toutes les échoppes sont ouvertes. Ne se rappellent-ils pas que Dieu veut que ce jour soit réservé au repos et à la famille ?*

Partout où il se rendit, dans la ville flambant neuve, il vit que les gens violaient une nouvelle fois les commandements de Dieu et se montraient orgueilleux et méprisants.

Comment peuvent-ils traiter Dieu ainsi, alors qu'il a tant fait pour eux ? demanda-t-il à son ami Esdras. Et il ajouta : *Tout ira de travers, s'ils continuent à lui désobéir.*

Esdras tenta de lui expliquer : *Le problème, c'est que le peuple ne connaît pas les lois de Dieu ; ils sont restés esclaves au loin si longtemps, qu'on ne leur a jamais lu les livres de Moïse.*

Alors, nous allons immédiatement convoquer le peuple dans le Temple et les lui lire ! décida Néhémie.

Le peuple gémissait. Il lui semblait qu'il n'avait pas autant plu depuis le déluge. La pluie tapait sur leurs têtes et coulait dans leurs cous ; ils claquaient des dents, mais était-ce de peur ou de froid ?

Esdras, assis sur une grande estrade en bois, leur lisait les textes, et plus il lisait, plus le peuple se sentait misérable : *Qu'allons-nous faire ? Nous n'avons pas vécu comme Dieu le désirait.*

Esdras s'arrêta et posa les rouleaux : *Rentrez chez vous, séchez-vous et réchauffez-vous !* Il s'adressa encore au peuple et lui dit avec bonté : *Bientôt, vous aurez tous une semaine de vacances, et il se passera alors quelque chose de très spécial.*

Du monde entier, les Juifs venaient à Jérusalem. Des milliers de personnes s'entassaient à l'intérieur des nouveaux murs ; ils campaient dans les rues et dans les jardins. Ils venaient pour une fête d'une semaine, et ils étaient plus heureux qu'ils ne l'avaient jamais été. Jérusalem toute entière résonnait de chants et de danses, ainsi que de rires heureux. Il y avait abondance de nourriture.

Dieu veut que nous soyons heureux ! leur dit Esdras. *Cette joie nous donnera la force de vivre selon sa volonté.*

Tout le jour, ils écoutaient la Parole de Dieu, qui leur était lue à haute voix. Ils parlaient de Dieu en petits groupes, et de tout ce qu'il avait fait pour eux. Beaucoup allaient prier dans le Temple.

Lorsqu'un nouveau prophète, appelé Malachie, commença à parler, les gens l'entourèrent avec impatience : *Dieu veut que vous sachiez combien il vous aime !* leur dit-il. *Il est comme le soleil qui se lève et brille sur vous. Il ouvrira les fenêtres du ciel et déversera sur vous toutes sortes de bonnes choses. Gardez son alliance ! Tenez-vous prêts car Dieu lui-même va apparaître ; celui que vous cherchez viendra soudainement dans son Temple.*

Chacun demanda pardon à Dieu et jura d'être fidèle, dans l'attente de la venue du Messie. Ils étaient sûrs de le reconnaître lorsqu'il viendrait.

Mais arriveraient-ils à tenir leurs engagements ?

MARIE LA SERVANTE MAGNIFIQUE

AU CIEL, L'EXCITATION ÉTAIT SI GRANDE que les anges parlaient tous à la fois. Le temps était enfin venu d'accomplir la partie la plus importante du projet de Dieu. Celui-ci allait réellement envoyer son Fils vivre sur la terre, afin que tous sachent qu'il était vraiment Dieu.

Il va prendre un corps d'homme ! s'étonnèrent les anges, ... *et commencer sa vie terrestre comme un bébé, exactement comme tout homme ! Dieu va lui choisir comme mère une jeune fille exemplaire. Ce sera probablement une princesse !*

Les anges se trompaient ! Dieu n'a pas choisi quelqu'un de riche ou d'important pour cette mission extraordinaire. Il a choisi une jeune campagnarde ordinaire, qui préparait son mariage avec le charpentier du village. Son nom était Marie. Un jour, alors qu'elle était assise, occupée à coudre sa robe de mariée, Gabriel, l'ange le plus important au ciel, fut envoyé par Dieu pour lui parler. Marie eut très peur, lorsqu'elle leva les yeux et le vit qui lui souriait.

C'est un ange ! pensa-t-elle, et la robe de mariée glissa à terre.

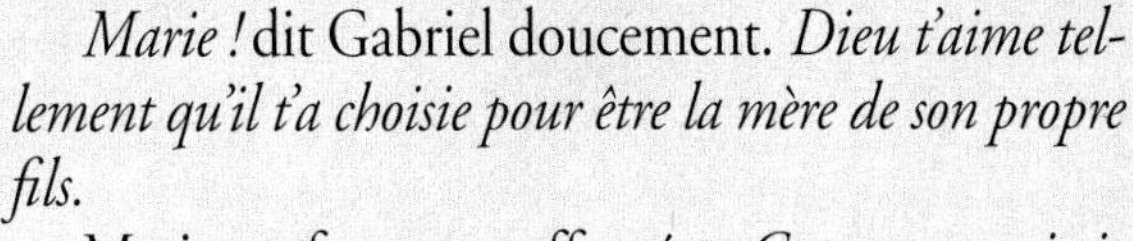

Marie ! dit Gabriel doucement. *Dieu t'aime tellement qu'il t'a choisie pour être la mère de son propre fils.*

Marie en fut toute effrayée : *Comment puis-je être la mère du Fils de Dieu ? Je ne suis qu'une jeune fille sans prétention !*

N'aie pas peur ! continua Gabriel. *Dieu t'annonce que bientôt, tu auras un bébé, un garçon. Tu l'appelleras Jésus. Il sera roi pour les siècles des siècles.*

Marie tremblait tellement qu'elle pouvait à peine s'agenouiller sur le sol. Depuis qu'elle était toute petite, elle avait entendu parler du Messie que Dieu avait promis d'envoyer un jour. Toutes les petites filles souhaitaient, en secret, être choisies pour être sa mère.

Mais Marie était préoccupée : *Comment puis-je avoir un bébé ? Je ne suis même pas encore mariée !*

L'ange lui expliqua : *Dieu lui-même sera le père de cet enfant !*

Soudain, tous les espoirs et les rêves de Marie semblèrent compromis. Depuis des mois, elle et Joseph pensaient à leur petite maison derrière son échoppe de charpentier. Ils parlaient constamment des bébés à venir, et de leur futur bonheur d'être ensemble. Il ne lui serait peut-être plus possible d'épouser Joseph, maintenant qu'elle allait faire partie du plan de Dieu.

Gabriel attendait calmement sa réponse. Marie découvrit qu'elle aimait Dieu plus que tout, davantage même que Joseph. Courbant la tête, elle murmura : *Je suis la servante du Seigneur ; je ferai ce qu'il me demande.*

Tous les anges du ciel ont dû soupirer de soulagement, mais Gabriel savait que quelque chose la troublait encore, aussi il dit : *Si tu vas voir ta cousine Elisabeth, tu sauras que* **rien n'est impossible à Dieu** *; c'est une très vieille dame, mais elle aussi va bientôt avoir un bébé !*

Luc 1: 39-45 ; Matthieu & : 18-24

STUPEUR POUR JOSEPH

N*'AI-JE PAS RÊVÉ ?* pensait Marie tout en cheminant sur la route poussiéreuse. *Bien sûr, je ne dirai rien à Joseph, jusqu'à ce que je sache si ce que l'ange m'a dit est vrai.*

La seule façon de le savoir était d'aller voir sa cousine Elisabeth. Aussi, très tôt ce matin-là, elle s'était mise en route vers la maison de la vieille dame, dans les collines. *Elisabeth pourrait-être ma grand-mère,* songeait Marie. *Elle est bien trop vieille pour avoir un bébé !*

Mais dès que Marie entra dans la maison de sa cousine, elle vit que l'ange avait dit la vérité. Elle s'arrêta dans l'entrée, très étonnée de ce qu'elle voyait.

Toute notre vie, nous avons espéré un fils ! lui dit Elisabeth plus tard, lorsqu'elles furent assises ensemble dans la pénombre du crépuscule. *Nous avions abandonné tout espoir, lorsque soudain, un ange apparut à mon mari, et lui annonça que Dieu allait nous donner un enfant. Lorsqu'il sera grand, son travail sera de dire à tous les Juifs d'Israël que* **le roi promis vient enfin**.

Marie respira profondément. Il lui tardait de dire à Elisabeth qu'elle aussi avait vu un ange, mais avant qu'elle ne puisse parler, les yeux de la vieille dame s'emplirent de larmes de joie. *C'est un grand honneur pour moi de t'avoir dans ma maison,* murmura-t-elle, *parce que je connais ton secret ; tu vas être la mère de ce roi, le Fils de Dieu en personne.*

Alors Marie eut la certitude qu'elle n'avait rien imaginé. Les deux femmes s'embrassèrent, puis Marie demeura avec Elisabeth quelques mois, jusqu'à ce qu'elle sente son bébé bouger en elle.

Nerveusement, Marie poussa la porte de l'échoppe du charpentier. Joseph lui avait beaucoup manqué, mais l'aimerait-il encore lorsqu'elle lui aurait annoncé la nouvelle ?

Je ne te crois pas ! balbutia Joseph lorsqu'elle eut fini de tout lui raconter. *Je ne peux pas t'épouser si tu portes le bébé d'un autre.* Et il lui tourna le dos, très peiné.

En pleurant, la pauvre Marie se précipita chez elle à travers les rues sombres. De son côté, Joseph fit les cent pas, donnant misérablement des coups de pied dans les tas de sciure. En ce temps-là, si une jeune fille avait un bébé sans être mariée, tous les gens du village lui lançaient des pierres jusqu'à ce qu'elle en meure.

Joseph ne pouvait supporter que cela arrive à Marie, parce qu'il l'aimait. Cependant, pourquoi lui mentait-elle ? *Que dois-je faire ?* grogna-t-il en se jetant sur son matelas pour dormir. Mais quand il fut endormi, Dieu envoya Gabriel dans la boutique du charpentier pour qu'il lui parle dans un rêve. *N'aie pas peur d'épouser Marie,* confia l'ange avec bonté. *Elle dit la vérité. Appelle son bébé Jésus parce qu'il sauvera les gens de la mort et leur permettra de devenir amis de Dieu.*

Il ne faisait pas encore jour lorsque Joseph se précipita chez Marie et ils s'embrassèrent. *Nous allons nous marier immédiatement !* dit Joseph. *Ainsi, je pourrai t'aider à porter le secret de Dieu.*

Luc 2 : 1-7

DECEPTION A BETHLEEM

LORSQUE LES SOLDATS ROMAINS arrivèrent dans le village, les gens s'éparpillèrent dans toutes les directions et Joseph regarda à l'extérieur de sa boutique :

Qu'est-ce que les Romains veulent encore ?

Une fois de plus, des ennemis avaient envahi le pays, mais ils n'emmenaient pas les gens au loin. Ils les faisaient juste obéir aux ordres et payer beaucoup d'impôts. Les Juifs étaient si oppressés qu'ils priaient tous les jours pour que Dieu leur envoie le Messie.

J'ai un message de notre empereur de Rome pour vous tous ! cria l'officier sous son casque brillant. *Vous devez retourner sur votre lieu de naissance et vous y faire enregistrer.*

Et nous faire payer davantage de taxes ! pensa Joseph en colère.

Marie cousait des habits pour le bébé. Lorsqu'elle regardait sa petite maison, elle était très heureuse. Tout était propre, et bientôt, ce bébé serait tranquillement couché dans le berceau en beau bois, fabriqué par Joseph.

Je suis désolé, dit Joseph tristement. *J'ai bien peur que nous ne devions partir immédiatement pour Bethléem.*

Mais c'est si loin ! s'exclama Marie. *Je ne veux pas que le bébé naisse en route, loin de chez nous.*

Joseph répliqua : *Nous n'avons pas le choix ! Nous devons obéir aux Romains, ou bien ils nous sanctionneront certainement.*

Trois jours plus tard, au bord de la route, Marie s'inquiéta : *A quelle distance est encore Bethléem ? Nous devons vite y arriver ; je crois que le bébé naîtra cette nuit !*

Regarde ! répondit Joseph. *Là, sur le sommet de la colline, ces lumières qui clignotent, c'est Bethléem ! Tu seras bientôt dans une chambre calme avec un lit confortable.*

Ils avaient froid, très faim et étaient fatigués. Alors que leur petit âne se frayait un passage sur le chemin, Marie dit soudain : *Nous aurions du nous en souvenir ! Le livre de Dieu dit que le Messie naîtra à Bethléem !*

Joseph sourit et, admiratif, remarqua : **Dieu est prodigieux !** *Il savait de tout temps ce qu'il ferait ce soir !*

Les rues, les maisons et les auberges étaient envahies par tous ceux qui avaient dû se rendre dans la ville pour le recensement. Ils cherchaient tous un endroit pour dormir et personne ne voulait faire de la place a un couple couvert de poussière et sans argent.

Désolé ! Il n'y a pas de place ici pour les gens comme vous !

Aidez-nous ! plaida Joseph. *Vous voyez bien que ma femme va avoir son bébé, elle doit s'allonger !*

Les portes leur claquèrent au nez et les gens leur tournèrent le dos, s'empressant d'aider en priorité les riches.

Personne ne semblait se soucier de ce qui arrivait à Marie et Joseph.

Accablés de solitude, ils se réfugièrent dans une étable délabrée.

Luc 2 : 5-20

DES VISITEURS DANS LA NUIT

EH BIEN, C'EST TOUJOURS MIEUX que la rue ! gémit Marie, faisant de son mieux pour sourire, tandis que Joseph inspectait l'étable dans la lumière vacillante de sa lampe. Ils regrettaient vraiment leur petite maison toute propre de Nazareth !

Tout ensommeillés, les chameaux et les ânes les regardèrent. Des poules picotaient sur le sol et des rats se battaient dans la paille, mais c'était là pourtant que le roi des rois naquit cette nuit.

Marie l'enveloppa avec précaution dans des bandes de tissu et Joseph le déposa dans une mangeoire pleine de foin. *En général, les rois naissent dans de grands palais,* dit-il, en regardant le bébé endormi. *Je me demande pourquoi Dieu a permis que son Fils naisse dans un endroit malodorant comme celui-là.*

Peut-être, sourit Marie, *est-ce là une autre partie de son secret ? Une façon de montrer aux pauvres, aux affamés et aux exclus que Dieu les aime aussi !*

Cette nuit-là, à Bethléem, les gens étaient trop occupés à se disputer à propos de lits et de nourriture pour regarder ce qui se passait dans le ciel.

Mais au-dehors, dans les champs, les bergers observaient les étoiles en gardant leurs troupeaux. Soudain, couvrant le bruit du vent dans les oliviers, les bergers entendirent un son étrange, ne provenant pas de la terre. Une magnifique et douce lumière emplit tout le ciel et à côté d'eux, apparut un ange. Ils n'avaient jamais eu si peur de leur vie !

Je viens vous apporter une merveilleuse nouvelle ! dit l'ange. **Cette nuit, à Bethléem, un roi vient de naître.** *Si vous voulez le trouver, regardez dans une mangeoire.*

Comme leurs yeux s'habituaient à la lumière, les bergers virent autour d'eux des millions d'anges resplendissants qui flottaient et chantaient parmi les nuages.

Nous n'avons jamais rien vu de tel ! murmurèrent-ils, alors que la musique et la lumière disparaissaient derrière les étoiles. *Et qui a jamais entendu parler d'un roi dormant dans une mangeoire ? Nous ferions mieux d'aller en ville et de voir ce qui se passe.*

Les habitants de Bethléem ont dû être surpris en voyant un groupe de bergers arpenter les rues et regarder dans chaque grange et chaque étable ! *Où est le petit enfant roi ?* demandaient-ils constamment.

Enfin, ils parvinrent à l'étable délabrée où Marie et Joseph se reposaient. *Regardez ! Un nouveau-né couché dans le foin ! C'est bien ce que l'ange nous a dit !* Et ils s'agenouillèrent spontanément sur le sol sale.

Une foule de curieux les avait suivis et ils s'entassèrent tous parmi les animaux, écoutant les bergers raconter tout bas leur étrange histoire.

Tous étaient ébahis de ce qu'ils entendirent. Seuls Marie et Joseph se contentèrent de sourire ; ils connaissaient déjà le secret.

LA TERRIBLE MENACE

LE ROI HÉRODE n'aimait pas être dérangé pour rien. Il hurlait : *Un bébé ! Il n'y a pas de bébé dans ce palais ! Dites à ces gens de partir !*

Un ministre essaya de calmer l'humeur du roi : *Mais Votre Majesté, ces sages ont voyagé durant des centaines de kilomètres parce qu'ils ont vu une nouvelle étoile à l'est, très brillante ; selon eux, cela signifie qu'un grand roi est né !*

Hérode sauta, horrifié : *C'est moi le roi ici ! Où les livres disent-ils que le Messie doit naître ?*

Dans le village de Bethléem, Majesté !

Hérode retrouva le sourire. Une idée venait de l'agiter : *Bien ! Amenez-moi ces visiteurs !*

Les mages s'inclinèrent devant lui. Il leur expliqua : *Naturellement, vous espériez trouver cet enfant dans un palais. Mais, c'est à Bethléem que vous devez chercher ce bébé. Je voudrais l'adorer moi aussi... Alors, dès que vous l'aurez vu, revenez me dire où il se trouve !*

Regardant, depuis sa fenêtre, les mages monter sur leurs chameaux, le méchant roi ricana : *Ils m'ont vraiment cru ! Aucun ne me ravira ma couronne !*

Le vieil ennemi de Dieu, Satan, avait également le sourire. Il avait désespérément réfléchi au moyen de se débarrasser de Jésus, et il réalisait maintenant que Hérode pourrait être son instrument.

Comme les sages sortaient de la ville, il commença à faire nuit, et soudain, dans le ciel, ils virent la merveilleuse étoile qu'ils avaient déjà remarquée dans leur pays. *Elle bouge !* dirent-ils, étonnés. *Elle nous conduit directement auprès du nouveau roi..*

Marie et Joseph furent étonnés lorsque, à leur petite porte, se présentèrent ces hommes si riches et si savants. Les mages s'agenouillèrent devant le bébé et dirent : *Nous venons de l'est vous apporter ces précieux cadeaux !* Marie fut très émue. Elle pensa : *Ces hommes doivent connaître le secret ! De tels cadeaux sont seulement destinés à un roi !*

Demain, nous retournons à Jérusalem, dirent-ils en souriant. *Hérode souhaite aussi venir pour adorer l'enfant.*

Mais Dieu savait exactement ce que Hérode et Satan préparaient ; cette nuit-là, un ange prévint en rêve les sages de ne pas retourner chez Hérode.

Lorsque le roi réalisa qu'on l'avait trompé, il trembla de colère. Il appela ses soldats et leur donna un ordre terrible. *Allez à Bethléem, et tuez tous les petits garçons !*

Alors que les soldats avançaient dans la nuit, Joseph qui dormait à côté de Marie, fit un rêve. *Vite Marie !* dit-il, sautant du lit dans le noir. *Dieu a envoyé un ange me dire que Jésus est en grand danger ; nous devons fuir immédiatement !*

On entendait déjà le bruit des soldats au loin lorsque la petite famille s'échappa de la ville et disparut dans la nuit.

Joseph expliqua tristement : *Nous devons partir loin, droit devant, si nous voulons échapper au roi.* **Dieu nous protège !**

Hérode pensait avoir gagné ; il s'appuya au dossier de son trône et soupira de soulagement. Mais, pendant tout ce temps, Jésus grandissait en sécurité, en Egypte.

Ce ne fut qu'après la mort d'Hérode que la petite famille rentra chez elle, dans la boutique du charpentier de Nazareth.

PERDU !

DE TOUTE LEUR VIE, Marie et Joseph n'oublièrent jamais le jour affreux où ils pensèrent avoir perdu Jésus.

Cela arriva lorsqu'ils étaient en voyage à Jérusalem. Tout le monde, à Nazareth, avait fermé sa boutique et sa maison. Le village entier était parti à la fête de Pâque. Une fois par an, les Juifs aimaient aller au Temple, afin de parler à Dieu et lui offrir des cadeaux.

Marie et Joseph étaient très heureux de cheminer avec leurs familles et leurs amis. Au loin, devant la grande procession, ils voyaient Jésus et ses camarades, les autres enfants du village.

Regarde-le, sourit Marie, *il est si grand et si fort pour ses douze ans !*

Et toujours au milieu d'une troupe, rit Joseph. *Il est si heureux qu'il communique à tous sa bonne humeur !*

Les jours à Jérusalem passèrent bien trop vite. Ce fut déjà le moment de se rassembler pour rentrer.

Marie et Joseph étaient bien trop occupés pour remarquer l'absence de Jésus. Ce dernier était allé faire ses adieux au Temple, et pour une fois, y était allé seul.

Je sens que j'appartiens vraiment à cet endroit, la maison de mon Père, soupira Jésus en faisant le tour du superbe bâtiment. *J'aimerais y rester toujours, au lieu d'apprendre à être charpentier !*

Juste à ce moment-là, il entendit des voix qui haussaient le ton. On était en grande discussion dans l'une des cours du Temple. Tous les professeurs du pays se disputaient au sujet de Dieu. Ils étaient bien trop passionnés pour remarquer ce jeune garçon qui s'approchait d'eux. Cependant, Jésus en savait réellement bien davantage qu'eux, concernant Dieu.

Qui a dit cela ? demanda l'enseignant le plus important, cherchant autour de lui. Il remarqua Jésus pour la première fois. Ce garçon de la campagne leur avait posé une question si difficile que personne ne pouvait y répondre. Le vieil homme poursuivit : *Viens ici, mon garçon ! Si tu es si intelligent, tu vas toi-même nous donner la réponse.*

Tout le jour, ces professeurs assaillirent Jésus de questions difficiles, mais il répondit à toutes. *Qui peut-il bien être ?* se demandaient-ils, leurs barbes blanches tressaillant d'étonnement. *Il ne ressemble à aucun autre garçon au monde !*

Pendant ce temps, Marie et Joseph avaient commencé le voyage de retour. Ils pensaient que Jésus marchait avec ses amis ou ses oncles et tantes. Aussi, ce ne fut que lorsqu'ils campèrent pour la nuit qu'ils s'aperçurent qu'on l'avait perdu.

Il a dû se passer quelque chose de terrible ! balbutièrent-ils en retournant précipitamment à Jérusalem.

Bien sûr, ils auraient dû chercher le Fils de Dieu dans le Temple, mais ils avaient gardé le secret si longtemps, qu'ils avaient presque oublié qui était Jésus.

A la place, ils explorèrent les rues sombres et les marchés malodorants, en le cherchant désespérément.

Lorsqu'enfin, ils regardèrent dans le Temple, ils virent quelque chose d'étrange. Une grande foule s'était rassemblée autour des professeurs, et, au centre, se tenait Jésus. Tous l'écoutaient avec stupeur.

Vous n'auriez pas dû vous faire du souci pour moi, dit-il doucement à Marie. *Maintenant que j'ai douze ans,* **je dois me consacrer aux affaires de mon Père.**

Reste à la maison avec nous encore un peu de temps ! plaida Marie. Alors Jésus retourna à Nazareth et apprit à être un bon charpentier.

Personne, au village, n'avait deviné son secret et tous l'aimaient.

Matthieu 3 : 1-12 ; Marc 1 : 1-8 ; Luc 3 : 1-18 ; Jean 1: 19-34

L'HOMME ETRANGE DU DESERT

IL SE PASSAIT QUELQUE CHOSE D'ÉTRANGE dans le désert. En général, personne n'y allait volontiers, car il n'y avait là que du sable, des rochers et le soleil brûlant. Pourtant, depuis quelque temps, de grandes foules y accouraient pour voir un homme à l'allure très bizarre.

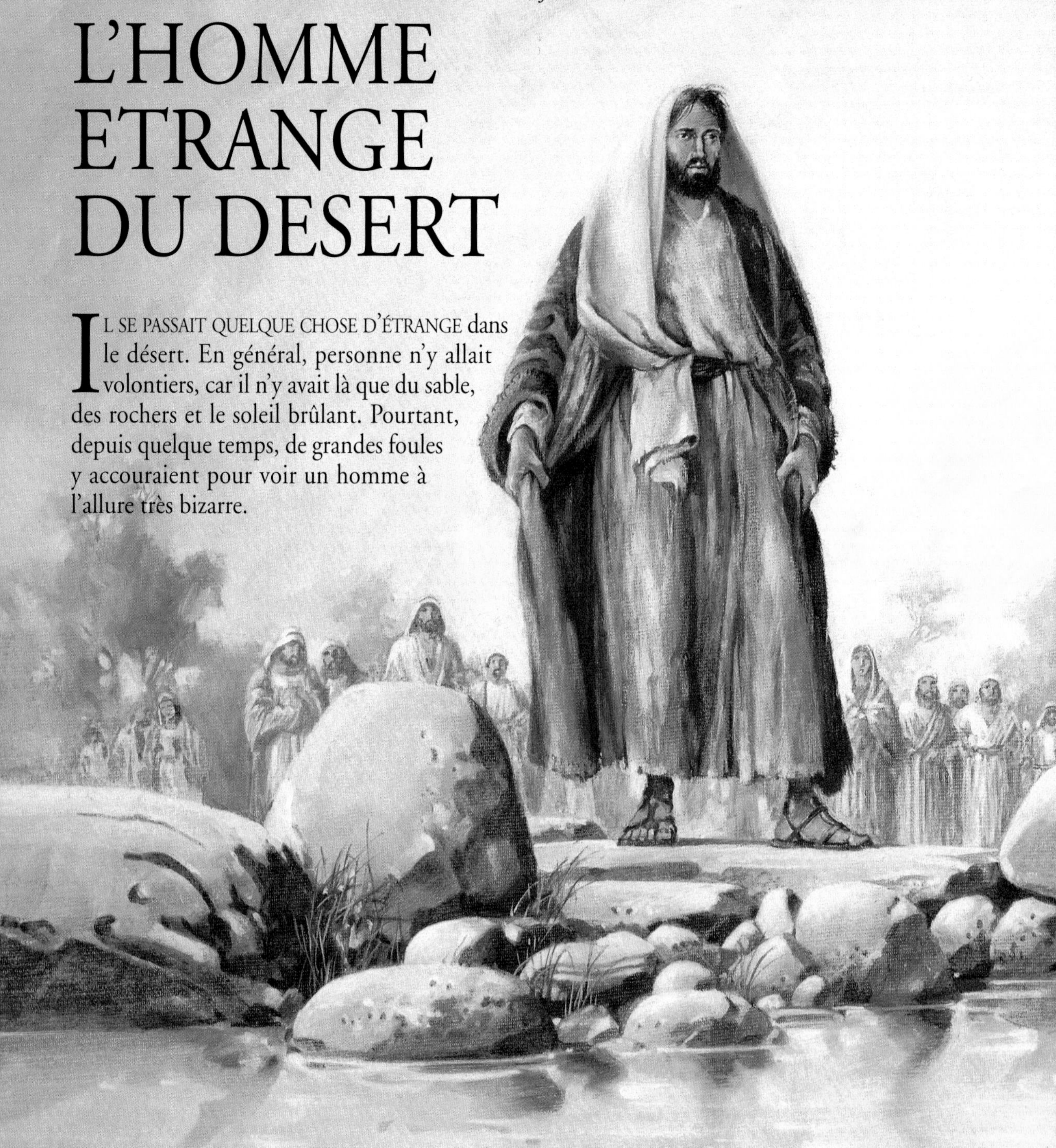

Le temps est enfin venu ! criait-il. *Le roi que Dieu a promis est arrivé !*

L'homme avait les cheveux longs, mal coiffés. Ses habits étaient poussiéreux et grossièrement fabriqués. Malgré cet air étonnant, le peuple se pressait pour écouter chacun de ses mots.

Serait-il possible qu'il soit le Messie en personne ? se demandait le peuple impatiemment. Mais il se trompait. Cet homme étrange était Jean, le fils de la vieille Elisabeth.

Ton travail est de dire au peuple quel est le véritable roi ! lui avait toujours dit sa vieille mère. Elle lui avait même révélé le grand secret. Son propre cousin, Jésus, était véritablement le Messie.

Aussi Jean avait-il passé ici des années, seul dans le désert, attendant un message de Dieu. Enfin, un jour, ce message arriva. *Jean,* dit la voix de Dieu, *lorsque tu verras mon Esprit descendre du ciel et s'arrêter sur un homme, tu devras dire au peuple que celui-là est leur roi.*

Et Jean annonçait aux foules rassemblées autour de lui : *Soyez prêts pour le nouveau royaume de Dieu ! Dites lui que vous êtes désolés pour vos mauvaises actions.*

Près de l'endroit où il se tenait coulait le Jourdain. Jean entra dans l'eau et dit : *Venez et laissez-moi vous baptiser pour montrer que vos péchés sont enlevés.* Des centaines de personnes se précipitèrent dans la rivière et Jean les baptisa toutes.

Un matin, il y eut une grande excitation sur le bord du Jourdain. Il semblait y avoir encore plus de monde que d'habitude, attendant d'être baptisé ; la foule recula pour faire place à un groupe de personnes, apparemment très importantes.

Nous avons été envoyés ici par les prêtres de Jérusalem, dirent-ils à Jean, *pour te demander si tu es le roi promis.* Un silence curieux s'installa parmi la foule. Qu'allait répondre Jean ?

L'étonnant prophète prit alors la parole : *Lorsque le roi viendra, je ne serai même pas digne de dénouer ses chaussures.*

Qui es-tu alors ? demandèrent-ils rudement, mais Jean ne les écoutait même plus. Il était debout dans l'eau et levait les yeux vers le visage d'un homme sur la rive, au-dessus de lui. C'est alors qu'il souffla : *Voilà l'instant que j'ai attendu toute ma vie !*

Jésus était là. Il le regarda en souriant et lui demanda : *Veux-tu me baptiser aussi, cousin Jean ?*

Comment ! balbutia Jean. *N'est-ce pas à toi de me baptiser ?*

S'il te plaît ! insista Jésus. *C'est ce que Dieu veut que je fasse.*

Comme Jésus sortait de l'eau, une chose merveilleuse se produisit. Le ciel au-dessus de sa tête sembla s'ouvrir sur une lumière dorée éblouissante et une ravissante colombe descendit du ciel et se posa sur lui. Alors une grande voix retentit en écho dans les rochers du désert : **Voici mon Fils unique !** *Il me rend merveilleusement heureux.*

Alors, Jean hurla sa joie : *C'est le Messie !* Le secret fut enfin dévoilé. Le temps était venu pour Jésus de montrer au monde qui était réellement Dieu.

Matthieu 4 : 1-11 ; Marc 1 : 12-13 ; Luc 4 : 1-13

SATAN CONTRE JESUS

IL VA DANS LA MAUVAISE DIRECTION ! s'exclama Jean en regardant son cousin partir seul dans le désert. *Je viens juste de dire à tous qui il est, alors pourquoi ne va-t-il pas à Jérusalem se faire couronner roi ?*

Mais Jésus ne faisait jamais exactement ce que les gens attendaient de lui.

Il avait travaillé dans l'atelier du charpentier pendant des années. Après la mort de Joseph, il avait aidé Marie à s'occuper de la maison et avait gagné l'argent de la famille. Maintenant, il avait besoin d'être seul avec Dieu pour parler de la nouvelle vie qui l'attendait.

Pendant des semaines, il se promena dans le désert pierreux où l'on ne trouvait rien à manger ; il était chaque jour plus affamé.

Comme il était assis, seul, il pensait au plan préparé avec son Père céleste. Tous deux voulaient que les gens vivent éternellement, mais ils savaient aussi que Jésus devait mourir sur la croix pour que ce soit possible.

Jésus mesura que cela le ferait terriblement souffrir, et il espérait qu'il y eût une autre façon de sauver les gens de la mort.

Le voilà ! pensa Satan, qui avait tout ce temps observé Jésus. *Il est seul, affamé et très triste. Voilà l'occasion de le pousser à faire quelque chose de mal. Cela ruinerait les projets de Dieu.*

Il l'aborda et lui dit, d'une voix mielleuse : *Si tu es réellement le Fils de Dieu, tu es certainement assez puissant pour changer ces pierres en pain ; tu n'as pas besoin de rester affamé.*

Jésus répondit aussitôt : *Je ne vais pas utiliser ma puissance en ma faveur ! Et mon Père dit qu'il y a plus important dans la vie que manger.*

Satan était furieux, mais il essaya encore : *Personne ne va vraiment croire que tu es le Fils de Dieu ! Tu dois le prouver. Je vais t'emmener au Temple de Jérusalem et tu sauteras du toit. Après tout, Dieu a promis que ses anges veilleraient sur toi.*

Oui, acquiesça Jésus, *mais ses commandements disent qu'il ne faut pas mettre Dieu en colère par de telles actions stupides.*

Satan commençait à être ennuyé. C'était d'ordinaire très facile pour lui de faire faire aux autres ce qu'il voulait.

Regarde, dit-il, en essayant de se rendre sympathique, *je pourrais maintenant te faire roi du monde entier ! Tout ce que tu devras faire, c'est t'agenouiller et m'adorer.*

Jésus resta silencieux longtemps. Dieu le ferait un jour roi du monde, mais il devrait d'abord mourir sur la croix.

La méthode de Satan serait plus rapide et beaucoup moins douloureuse. L'ennemi de Dieu sourit méchamment en attendant la réponse de Jésus, mais son sourire se figea soudain.

Jésus lui lançait : *Va t'en, Satan ! Tu sais parfaitement qu'***il est contraire aux lois de Dieu d'adorer un autre que lui.**

Comme Satan, déçu, s'enfuyait au loin, Jésus se laissa tomber, trop fatigué et affamé pour rester debout plus longtemps.

Alors, les anges invisibles qui s'étaient toujours tenus près de lui, apparurent soudain pour le réconforter.

Je me sens mieux maintenant ! sourit-il. *Je suis prêt à rentrer et à commencer le travail que mon Père m'a confié.*

Jean 1 : 35-51 ; 2 : 1-12

OMBRE SUR LA FETE

OÙ VAS-TU MAINTENANT ? demanda Jean lorsque Jésus, amaigri et couvert de poussière, revint vers le Jourdain.

A la maison ! sourit son cousin. *Des amis de la famille se marient bientôt. Si je me dépêche, je serai peut-être rentré à temps pour ce mariage. Ma mère y sera !*

Jésus n'allait jamais nulle part sans se faire des amis, et comme il grimpait sur le chemin, toutes sortes de gens l'accompagnaient.

Si Jean a raison, et si cet homme est vraiment le Fils de Dieu, nous voulons rester près de lui ! se disaient-ils les uns aux autres.

Un homme nommé Pierre, pêcheur de métier, expliqua : *Sa seule présence me rend heureux !*

Oui, ajouta André, son frère. *Il est merveilleux et ce qu'il dit est magnifique !*

Pourquoi ne viendriez-vous pas tous au mariage avec moi ? suggéra Jésus, qui semblait toujours savoir ce que les gens pensaient.

Le mariage avait déjà commencé lorsqu'ils arrivèrent. Les mariés furent ravis de voir Jésus, parce qu'il rendait toujours les fêtes plus agréables, et ils souhaitèrent la bienvenue à ses nouveaux amis.

Mais au milieu de tous ces rires et de cette joie, quelque chose alla de travers. Lorsqu'un des serviteurs murmura quelques mots à l'oreille de Marie, elle blêmit et se précipita à la cuisine.

Nous manquons de vin ! balbutia le maître d'hôtel.

Oh, non ! s'exclama Marie. Elle savait que la fête pouvait être complètement gâchée pour les mariés et leurs familles à cause de ce manque. Dans les villages alentour, tous allaient se moquer d'eux s'ils s'avéraient être trop pauvres ou trop avares pour prévoir suffisamment de vin.

Grâce à Dieu, mon fils Jésus est de retour, soupira Marie. *Je vais aller le voir tout de suite et lui demander ce qu'il faut faire. Il semble toujours capable de résoudre les difficultés.* Puis elle regarda tous les serviteurs et ajouta : *Rappelez-vous,* **quoi que ce soit que Jésus vous dise de faire, faites-le immédiatement !**

Quelques minutes plus tard, Jésus lui-même vint à la cuisine. Montrant les six grandes jarres dans le coin de la pièce, il dit : *Allez au puits et remplissez-les d'eau.*

Il doit être fou, pensa le maître d'hôtel. *Nous manquons de vin, pas d'eau !*

En bout de table, se trouvait l'homme le plus important du village, l'hôte d'honneur. Lorsque les serviteurs l'entendirent réclamer davantage de vin, ils furent vraiment ennuyés. *Que devons-nous faire maintenant ?* demandèrent-ils à Jésus.

Remplissez vos pots avec l'eau des jarres, puis allez le servir.

Avec de l'eau ! balbutia le maître d'hôtel. *Il sera tellement furieux que nous allons tous avoir des problèmes.*

Venez vite ici ! cria l'hôte d'honneur. *J'ai soif !*

Le maître d'hôtel tremblait tellement qu'il eut du mal à puiser dans la lourde jarre. Puis il ferma les yeux en attendant le cri de colère et de dégoût. Mais au contraire, l'hôte d'honneur s'essuya les lèvres et dit : *Bien vu, le marié ! C'est le meilleur vin que j'aie jamais goûté !*

Lentement, le serviteur ouvrit les yeux et contempla le visage souriant de Jésus.

Jean 2 : 13-22 ; Matthieu 21 : 12-17

JESUS EN COLERE

JÉSUS REGARDAIT LE TEMPLE et son visage se crispa de colère : *Comment osez-vous faire cela !* Ses nouveaux amis l'observèrent avec étonnement. Lui si gentil et si joyeux d'habitude, pourquoi se mettait-il dans un pareil état ?

Quelques jours après le mariage, ils étaient tous partis à la grande fête à Jérusalem. Jésus s'était pressé sur la route, tout heureux d'être de nouveau dans le Temple. Mais lorsqu'ils arrivèrent, ils eurent un choc terrible. Les magnifiques cours de marbre blanc de la maison de Dieu étaient devenues des marchés. Les agneaux et les taureaux protestaient fortement lorsqu'on les tirait parmi les piliers. Des oiseaux en cage pépiaient de peur et l'on échangeait de l'argent ; au milieu des querelles bruyantes, les gens discutaient les prix.

Jésus explosa et lança d'une voix forte : **La maison de mon père est un lieu où l'on peut prier en paix !** *Ce n'est pas une maison de voleurs. Je dois y mettre un terme.*

Oh, non ! balbutièrent ses amis très alarmés. *Il est terriblement dangereux pour toi d'indisposer les prêtres. Ils se font beaucoup d'argent avec tout ce trafic !*

Mais Jésus ne voulut rien entendre. Prenant des cordes, il en fit un fouet et s'élança au milieu du marché.

Sortez de la maison de mon père ! tempêta-t-il, renversant à terre les tables de change. Les animaux s'échappèrent et coururent dans toutes les directions, lorsque Jésus frappa sur les enclos, et les oiseaux recouvrèrent avec gratitude la liberté lorsqu'il ouvrit leurs cages.

Les gens s'écartaient en sautant pour se protéger. Les changeurs furieux et les voleurs ravis rampaient ensemble sur le sol, cherchant les pièces en or. Ils injuriaient les fermiers qui leur marchaient sur les doigts, en poursuivant les taureaux !

Pierre, le pêcheur, avait les mains sur les hanches, et riait à en pleurer ! *Quel homme !* dit-il admiratif, tandis que Jésus chassait hors du Temple le dernier des changeurs. Le chef des prêtres regardait la scène et était furieux : *Un jour, nous lui ferons payer cela très cher !*

Jésus demeurait seul parmi les restes éparpillés du marché, toute trace de colère disparut soudain de son visage. Là, blottis nerveusement derrière les piliers de marbre, se tenaient les gens trop malades pour s'enfuir. Jetant son fouet, Jésus se dépêcha d'aller les réconforter. Ses amis regardèrent ébahis les estropiés poser leurs béquilles et commencer à danser ; les aveugles criaient de joie en contemplant le Temple pour la première fois ; et les petits enfants pâles s'arrêtaient de tousser pour commencer à rire.

Jean, le jeune ami de Pierre, murmura : *Il doit vraiment être le Fils de Dieu ! Je n'oublierai jamais ce jour, tant que je vivrai !*

Jean 1 : 11 ; Luc 4 : 16-31 ; Matthieu 4 : 13

LE PRECIPICE

NAZARETH était en ébullition. Les gens du village interrogeaient Marie : *Nous continuons d'entendre toutes sortes d'histoires au sujet de ton fils Jésus. Est-ce vrai qu'il guérit les malades ?*

Oui, reconnut Marie. *L'autre jour encore, il a guéri un petit garçon, le fils de l'un des meilleurs amis du roi.*

Tu dois être fière de lui ! ajoutèrent-ils.

Un matin de sabbat, comme ils étaient tous entassés dans la petite synagogue, ils furent ravis de voir Jésus passer la porte d'entrée. *Ecoutez ! Il va prêcher !* murmurèrent-ils en le voyant ouvrir le rouleau.

Aujourd'hui, je vais vous lire un passage dans le livre d'Esaïe ! commença Jésus et les gens étaient étonnés en l'écoutant. Il lut donc ce que Esaïe avait écrit des centaines d'années auparavant sur la venue du Fils de Dieu, le Messie.

Aujourd'hui, ces paroles se sont réalisées, commenta-t-il . *Je suis venu rendre la vue aux aveugles, rendre heureux ceux qui sont tristes et libérer les prisonniers de Satan.*

Il y eut un silence consterné dans la petite synagogue.

Nous connaissons cet homme depuis son enfance, grognèrent les auditeurs. *Nous nous souvenons tous de son père Joseph, et il ment quand il se déclare être le Fils de Dieu !* Le murmure de colère se transforma en cris de rage ; les gens bondirent et s'emparèrent rudement de Jésus.

Jetons ce méchant menteur par-dessus les falaises ! s'exclamèrent les gens de Nazareth en tirant Jésus hors de la synagogue et vers le sommet de la colline.

Ils le poussèrent de plus en plus près du bord des falaises.

Il va passer par-dessus bord, tête la première et mourir ! ricana Satan. Mais pour Jésus, ce n'était pas encore le moment de mourir, et sur le bord même du précipice, il se retourna et regarda en face les visages de ceux qui l'avaient toujours connu à Nazareth. Manifestement, **le Fils de Dieu imposa son autorité**.

Un par un, ils le lâchèrent et reculèrent honteux et désorientés. Comment pourraient-ils faire du mal à celui qui avait toujours été si bon envers eux ?

Lentement, Jésus passa parmi la foule et prenant Marie par les épaules, ils partirent. *Nous ne pouvons plus vivre ici maintenant,* dit-il doucement. *Je vais t'emmener chez mes amis, Pierre et André.*

Aussi, le lendemain, toute la famille quitta Nazareth et alla vivre à Capernaüm, le village de pêcheurs au bord de la mer de Galilée.

Luc 4 : 38-44

DE MAGNIFIQUES GUERISONS

PIERRE ÉTAIT HEUREUX ce jour-là en ramenant son bateau au port. C'était bien que Jésus vive désormais dans leur ville. *Je n'ai jamais beaucoup aimé les sermons,* marmona le pêcheur, *mais je pourrais écouter Jésus pendant des heures.* Il discutait avec ses amis, Jacques et Jean : *J'espère qu'il restera toujours à Capernaüm !*

Pierre sifflotait en entrant dans la petite maison du bord de mer, mais sa bonne humeur disparut soudainement. Le feu était éteint et nulle nourriture ne l'attendait. Sa femme avait l'air d'avoir pleuré des heures et elle lui fit part des nouvelles en sanglotant : *C'est ma mère ! Elle est terriblement malade.*

Le lendemain, Pierre alla à la synagogue et dut se frayer un chemin parmi la grande foule venue entendre Jésus prêcher. *Comment va ta belle-mère aujourd'hui ?* lui demandait-on. En effet, tous, à Capernaüm, aimaient la vieille dame. Pierre répondit avec tristesse : *Mal ! Nous avons bien peur qu'elle meure.*

Soudain, il sentit une main sur son épaule et, se tournant, il vit Jésus. *Laisse-moi aller la voir !* dit-il doucement.

La vieille dame était étendue sur un matelas, dans un coin de la maison de Pierre. Elle était si malade qu'elle ne se rendit même pas compte de la présence de Jésus. Pierre et sa femme attendaient anxieusement pendant que Jésus se penchait et prenait la main ridée dans les siennes. Soudain, les yeux de la vieille dame clignèrent et lentement, elle s'assit. *C'est merveilleux de vous voir dans notre petite maison,* dit-elle en souriant à Jésus. *Je dois immédiatement me lever et vous préparer un bon repas !* Alors que Jésus l'aidait à se mettre debout, elle encouragea sa fille étonnée : *Allez vite, allume le feu.*

Ce fut un dîner magnifique, car la vieille dame était très bonne cuisinière, et ils étaient encore à table lorsque les ombres du soir envahirent la pièce.

C'est alors qu'un bruit étrange à l'extérieur fit se précipiter la vieille dame à la fenêtre : *Les rues sont pleines de monde,* s'exclama-t-elle. *On dirait que tous les habitants de Capernaüm veulent venir chez nous !*

La femme de Pierre précisa : *Ils ont amené tous les malades !*

Comme Jésus se dépêchait de sortir de la maison, des voix l'appelèrent de tous côtés : *S'il te plaît, guéris mon bébé ! ... Soigne la jambe de mon pauvre mari, qu'il puisse travailler de nouveau ! ... Tu as guéri la vieille grand-mère, c'est pourquoi je t'ai amené mon grand-père qui est aveugle !*

Il fallut à Jésus de nombreuses heures pour toucher et guérir chaque malade dans la foule, mais c'est ce qu'il fit.

Lorsque la dernière personne fut rentrée, heureuse et en bonne santé, Pierre ronflait déjà bruyamment, mais tôt le lendemain matin, lorsqu'il s'éveilla, Jésus était parti. *Nous devons le trouver !* dit Pierre aux autres pêcheurs. *Nous ne pouvons pas le laisser quitter Capernaüm maintenant.*

Ils le rattrapèrent sur la route et Jésus leur expliqua : *Je dois aller dans les autres villes. En tout lieu,* **je dois dire aux gens que Dieu les aime !**

Tristement, ils retournèrent à leurs bateaux. La vie allait être bien morne maintenant, sans Jésus.

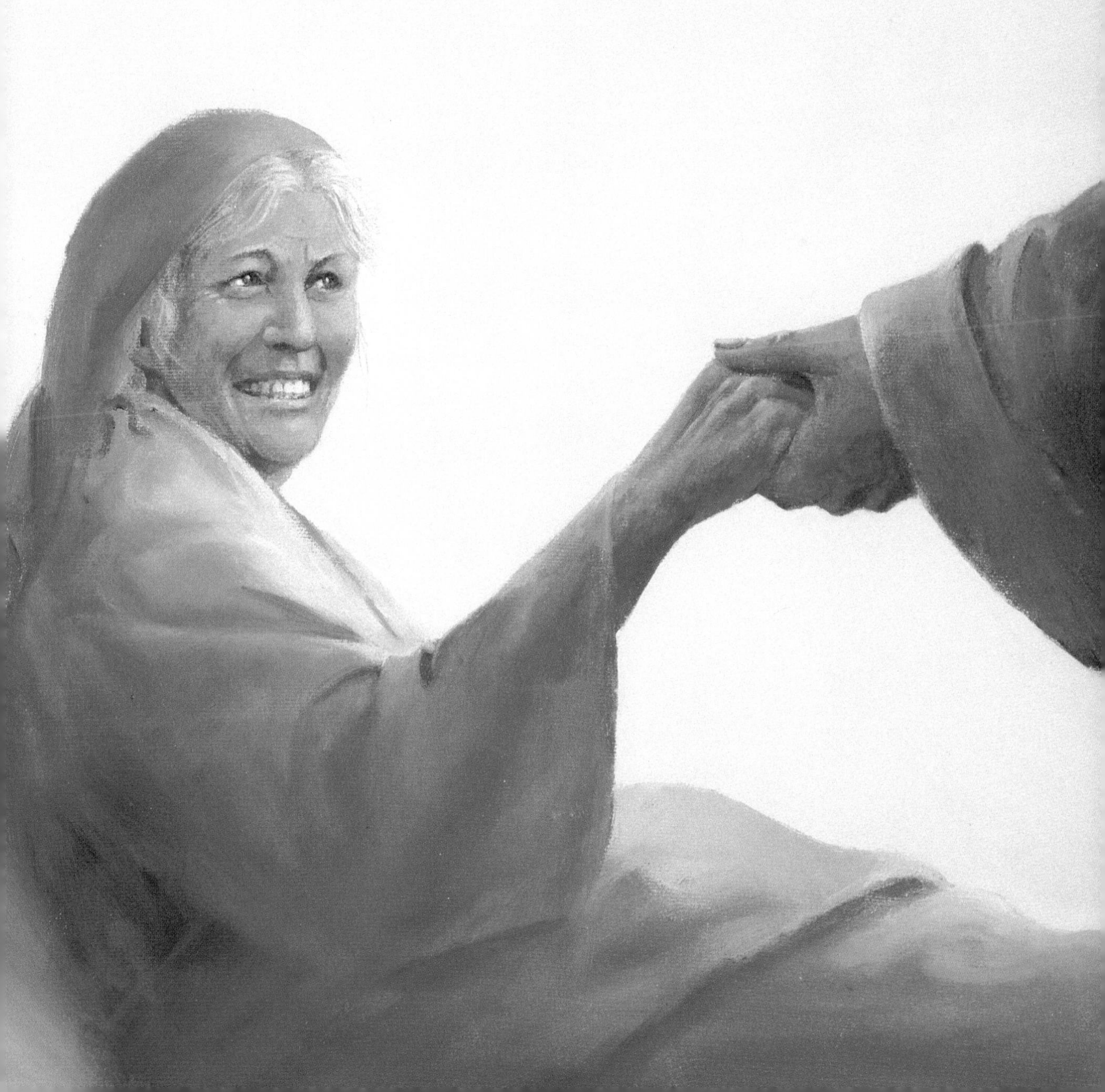

Luc 5 : 1-11

UNE SURPRISE POUR PIERRE

IL N'Y AURA PAS GRAND CHOSE au souper pour les enfants aujourd'hui ! soupira Pierre un matin, alors que son frère et lui-même ramaient vers la côte. Comment allait-il annoncer à sa femme et à sa belle-mère qu'une fois encore, ils avaient travaillé toute la nuit sans attraper un seul poisson ?

André, levant les yeux vers la rive, demanda : *Qu'est-ce qui se passe donc sur la plage ? Qui sont tous ces gens ?* Jacques et Jean s'exclamèrent : *Jésus est de retour ! Et des centaines de personnes sont venues l'écouter.*

Pierre était vraiment fâché. Il lui tardait d'aller vers son nouvel ami et de lui faire part de tous ses ennuis, mais Jésus était plongé dans la foule. *Ils ne pourront pas entendre un seul mot de ce qu'il dit,* grogna Pierre, *surtout s'ils continuent à se bousculer comme ça.*

Il avait pêché toute la nuit et il était fatigué. Il avait l'intention d'aller se coucher. Il entendit Jésus l'appeler : *Pierre, voudrais-tu m'éloigner un petit peu du bord dans ton bateau ?*

Pendant des heures, ils furent bercés sous le soleil ; Jésus était assis dans la barque, et tout le monde pouvait le voir et l'entendre parfaitement. Parmi les histoires qu'il raconta, certaines étaient si drôles que les gens avaient mal à force de rire ; quant aux autres, elles firent parfois pleurer même les adultes.

Merci Pierre ! dit enfin Jésus, en souriant. *Maintenant, allons pêcher !*

Quoi ! s'exclama Pierre, *à midi !* Et il éclata de rire. *Cet homme en sait certainement beaucoup sur le métier de charpentier, mais sûrement rien du tout sur la pêche*, pensa-t-il. Mais Jésus insistait.

Seigneur, on ne peut pas attraper de poissons dans ce lac lorsque le soleil brille, expliqua le pêcheur. *Et, de toute façon, il n'y a plus de poissons par ici depuis quelques jours.*

Jésus resta assis sans bouger, souriant, jusqu'à ce que, enfin, Pierre et son frère lancent les filets par-dessus bord.

Le miracle se produisit presque aussitôt. Ils prirent une telle quantité de poissons que le bateau menaca de verser.

Pierre, agitant frénétiquement la main vers Jacques et Jean, les appela à l'aide. Les filets allaient presque se rompre quand les quatre pêcheurs les tirèrent de l'eau, et très vite, les deux bateaux furent pleins de poissons argentés.

Je n'ai jamais vu une telle prise de toute ma vie ! pleura Pierre, se laissant tomber devant Jésus. *Tu ne devrais pas approcher un homme comme moi ! Je désobéis toujours aux commandements de Dieu.*

Mais il faut que les gens sachent que **Dieu désire offrir le pardon !** dit Jésus, puis il ajouta : *Veux-tu tout quitter pour m'aider à proclamer l'Amour de Dieu ?*

Pierre était si content qu'il ne sut que répondre. Posant les regards sur André, Jacques et Jean, le Seigneur dit encore : *Je dois trouver douze hommes qui deviendront mes compagnons d'aide. Viendrez-vous aussi avec moi ?*

Mais nous ne sommes que des pêcheurs ! balbutièrent-ils. Jésus leur répondit : *J'ai besoin de toutes sortes de personnes ! Maintenant, allez au marché vendre ces poissons. Vous en tirerez assez d'argent pour nourrir vos familles pendant que vous serez au loin avec moi.*

Luc 5 : 17-28 ; Matthieu 9 : 9-12

LE TROU DANS LE TOIT

LE LENDEMAIN, les gens de Capernaüm furent étonnés lorsqu'ils virent arriver dans leur petite ville quelques hautes personnalités. On les appelait Pharisiens et ils étaient fiers d'eux-mêmes, car ils disaient avoir, eux, toujours observé les commandements de Dieu.

Ils avaient entendu tant d'histoires sur Jésus, qu'ils voulurent voir qui il était vraiment et ce qui se passait autour de lui. On leur expliqua où était la maison de Pierre, chez qui résidait Jésus. Or, il y avait tant de monde dans la maison indiquée que les Pharisiens durent jouer des coudes pour pouvoir entrer.

Jésus ne semblait pas les avoir remarqués ; il était occupé à parler aux pauvres et aux gens simples qui avaient marché pendant des kilomètres pour venir l'entendre : *Vous êtes pauvres, affamés et tristes maintenant,* leur dit-il, *et personne ne semble se soucier de vous ; aussi, je suis venu vous dire que Dieu vous aime. Il prépare beaucoup de choses merveilleuses pour vous au ciel.*

Pourquoi perd-il son temps avec des mendiants, alors qu'il pourrait parler à des gens comme nous ? reprochèrent les Pharisiens avec dédain.

A ce moment-là, il y avait tellement de monde, agglutiné près de Jésus, qu'il ne restait plus aucune place dans la maison, et les retardataires devaient rester à l'extérieur.

Cependant, tous écoutaient si attentivement qu'un bruit étrange sur le toit attira leur attention, puis les inquiéta. De la poussière et de la terre sèche commencèrent à tomber du plafond, salissant les visiteurs importants.

C'est outrageant ! tempêtèrent les Pharisiens, alors qu'un grand trou apparaissait au-dessus de leurs têtes.

Il en descendit un matelas, retenu par quatre cordes, et sur lequel un homme, qui ne pouvait plus bouger depuis des années, était étendu.

Ses amis n'avaient pas pu atteindre Jésus à travers la foule, aussi étaient-ils montés par l'escalier extérieur et avaient-ils troué le toit qui servait aussi de terrasse.

Jésus savait exactement ce qui préoccupait l'homme. Jour et nuit, il se faisait du souci à propos des mauvaises choses qu'il avait faites quand il pouvait encore marcher. Aussi, il lui dit avec douceur : *Tu es pardonné !*

Les Pharisiens contestèrent Jésus : *Seul Dieu pardonne les péchés ! Comment oses-tu te dire Dieu ?*

Sans se laisser impressionner, Jésus répliqua : *Je prouverai qui je suis !* Baissant les yeux vers l'homme paralysé, il ordonna : *Lève-toi et ramène ton lit chez toi.*

Les gens frémirent d'étonnement en voyant le handicapé se mettre sur ses pieds. Les Pharisiens en colère sortirent et pensèrent qu'il fallait empêcher Jésus de devenir trop populaire dans le pays.

Or, ce qui se passa encore ce soir-là ne fit qu'augmenter leur haine contre le Fils de Dieu.

Jésus avait demandé à l'un des hommes les plus mauvais et les plus haïs de Capernaüm d'être également son disciple.

Cet homme, Matthieu, était si heureux qu'il avait invité Jésus dans sa maison, pour qu'il rencontre ses amis et connaissances.

Les Pharisiens furent horrifiés en regardant à travers les fenêtres : *Pourquoi Jésus mange-t-il et se fait-il des amis parmi ces mauvaises gens ? En ce qui nous concerne, nous ne voudrions pas même nous salir en leur adressant la parole !*

Ils n'entendirent pas Jésus déclarer : **Je suis venu pour ceux qui ont besoin de moi**, *comme les malades ont besoin d'un médecin !*

Luc 8 : 40-55

JESUS ARRIVERA-T-IL A TEMPS ?

JAÏRUS ÉTAIT ASSIS au chevet de sa fille et tenait sa main brûlante de température. La fillette allait tous les jours un peu plus mal. *Si seulement Jésus était encore à Capernaüm,* pensa-t-il misérablement. *Il ferait un miracle, mais cela fait des semaines qu'il est parti dans d'autres villes et maintenant, ma petite fille se meurt.*

Jaïrus était un homme très riche et important, mais il aurait donné tout son argent pour voir sa fille en bonne santé.

Il entendit soudain, dans la rue, des cris d'excitation et des pas pressés. Quelqu'un criait : *Jésus est de retour ! Il vient d'arriver sur la plage dans le bateau de Pierre.*

Jaïrus se leva d'un bond et se précipita dehors. Il fallait faire vite.

Tous semblaient courir dans la même direction, et chacun se bousculait. Le pauvre Jaïrus se sentit comme dans un cauchemar. Lorsqu' enfin il parvint à la plage, il était si essoufflé qu'il ne pouvait plus parler. Il se laissa tomber devant Jésus et inclina la tête.

Nul Juif ne s'incline devant qui que ce soit, sauf devant Dieu, murmurèrent les gens. *Jésus devrait savoir que Jaïrus dirige notre synagogue ; que vont dire les Pharisiens ?*

Enfin, Jaïrus retrouva son souffla et parla à Jésus : *S'il te plaît, ma fille est en train de mourir. Peux-tu intevenir ?*

Jésus l'aida à se relever : *Je viens immédiatement !*

Nous devons faire vite ! sanglota Jaïrus, mais les rues étroites étaient pleines de gens qui ralentissaient Jésus. Ils l'entouraient de manière si compacte qu'il pouvait à peine respirer, ou avancer. Lorsque Jésus se pencha pour soigner une pauvre femme qui était malade depuis douze ans, Jaïrus

ne put en supporter davantage. *Si tu ne te dépêches pas…* s'exclama-t-il, *il sera trop tard !*

Il était presque hors de lui lorsqu'il aperçut son serviteur se frayer un passage à travers la foule, et quand il vit son visage, il sut ce qu'il était venu lui dire.

Ta petite fille vient de mourir, murmura le serviteur. *Il n'est plus utile de déranger le maître !*

Mais Jésus rassura le père : **N'aie pas peur ! Fais-moi seulement confiance.**

En marchant vers la maison, ils entendirent les voisins pleurer bruyamment et jouer de la musique lugubre sur leurs flûtes. Jésus expliqua qu'il pouvait faire revenir à la vie la fillette, mais personne n'osait croire en une résurrection. La famille et tous les amis remplissaient la maison ; tous jetaient des regards pleins de reproches à Jésus pour être arrivé trop tard.

Jésus entra dans la petite chambre sombre et mit tous les gens dehors. Seuls Pierre, Jacques, Jean et les parents de la petite fille furent autorisés à voir ce qui allait se passer.

Ma petite, il est temps de se réveiller ! dit Jésus, utilisant lemême ton que Marie employait chaque matin lorsqu'il était enfant.

Et la fillette se leva !

Jésus, tout en souriant de bonheur, dit aux parents de donner à manger à l'enfant. Puis il quitta la maison où les chants funèbres se transformèrent en chants d'allégresse.

Marc 10 : 13-16, 35-45

JAMAIS TROP PRIS POUR LES ENFANTS

LES DISIPLES CHEMINAIENT SUR LA ROUTE et discutaient entre eux. Jacques disait : *Lorsque Jésus sera couronné roi et vivra dans un palais, j'espère qu'il me fera Premier Ministre.*

Mais je suis plus important que toi ! répondit Pierre du tac au tac.

Non, tu n'es qu'un pêcheur ! argumenta Matthieu. *Jésus aura certainement besoin de quelqu'un d'intelligent, comme moi.*

Le ton montait entre ces hommes et Pierre tourna la tête pour voir si Jésus les avait entendus.

Regardez ! dit-il anxieusement. *Le Seigneur est si exténué qu'il peut à peine marcher. Chaque jour, c'est la même chose, des foules de gens l'entourent constamment et on se déplace toujours. Il n'a souvent pas le temps ni de manger, ni de dormir correctement. Lorsque nous arriverons dans la prochaine ville, je me débarrasserai de tout ce monde, et il pourra alors prendre un long temps de repos à l'ombre.*

Dans la vallée, un groupe d'enfants sautait d'excitation en regardant la route. Ils attendaient depuis des semaines que Jésus visite leur ville. Maintenant, le grand jour était enfin arrivé, et leurs mères les avaient préparés pour l'occasion. Ils étaient propres comme des sous neufs.

Peut-être, pourra-t-il redresser ma jambe tordue ! dit un petit garçon avec une béquille. *Il pourrait aussi toucher mes yeux et me rendre la vue !* ajouta Anna qui était aveugle de naissance. *Je veux écouter ses histoires merveilleuses,* dit un garçon plus âgé. *J'espère qu'il va se dépêcher.*

Les foules qui suivaient toujours Jésus arrivèrent dans la ville, et les enfants se sentirent soudain timides. *Allez !* sourirent leurs mères, et elles les poussèrent vers Jésus qui s'était assis sur la margelle du puits.

Mais un très grand homme se tenait juste devant eux et les regardait. *Allez ouste ! Du balai !* cria Pierre. *Jésus est bien trop fatigué pour être ennuyé par des enfants aussi bruyants.*

Mais ils ont attendu si longtemps pour le voir ! protestèrent leurs mères. *Et peut-être ne reviendra-t-il jamais par ici….* Les sourires s'effacèrent des visages des enfants et la petite fille aveugle se mit à pleurer. Mais Pierre se montra intraitable : *Filez ! Avant que je ne vous fasse goûter de mon bâton !*

Les enfants partirent en trainant les pieds et disant : *Nous aurions dû savoir que Jésus est bien trop important pour se soucier d' enfants comme nous !*

Soudain, une voix se fit entendre : *Comment pouvez-vous les renvoyer ! Laissez-les venir vers moi immédiatement !* Les enfants pouvaient à peine le

croire. Jésus leur tendit les bras et ajouta :

Je ne suis jamais trop pris pour les enfants ! Viens et fais-moi voir tes yeux, Anna ! Et où est cette vilaine jambe, Marc ?

Comment connais-tu nos noms ? balbutièrent-ils.

Je vous connaissais tous avant même que vous ne soyez nés ! expliqua Jésus en riant, alors qu'une petite fille grimpait sur ses genoux.

Pendant des heures, ils se groupèrent tout près de lui, parlant tous en même temps. Cependant, il réussit à les écouter chacun. Les enfants se sentaient heureux aux côtés de Jésus.

On pourrait penser qu'il n'est jamais fatigué de cette vie ! marmonna Pierre.

Rappelez-vous ceci, dit Jésus, regardant ses disciples par-dessus la tête des enfants. *Personne ne peut entrer dans mon royaume s'il est orgueilleux. Vous devez devenir comme l'un de ses enfants !*

Et il sourit en regardant les yeux brillants de la petite fille qui, il y a encore quelques heures, était aveugle.

Matthieu 14 : 1-12 ; Marc 6 : 30-42 ; Jean 6 : 8-13 ; Matthieu 9 : 36

LE PANIER DU PETIT GARCON

UN JOUR, des hommes annoncèrent à Jésus de terribles nouvelles : *Le roi Hérode a tué ton cousin Jean.* Le pauvre Jean avait été enfermé pendant des mois dans un cachot, parce qu'il avait osé dire au roi et à la reine qu'ils agissaient mal. Maintenant ils lui avaient fait couper la tête.

Jésus fut si triste qu'il voulut rester seul un moment. *Nous avons tous besoin de repos,* dit-il à ses disciples. *Vous avez l'air fatigué. Ramons jusqu'à l'autre rive du lac et trouvons un endroit isolé pour installer notre camp.*

Comme le bateau traversait le lac, laissant les foules loin derrière, ils commencèrent tous à se sentir mieux. *Il n'y a plus de gens pour nous déranger,* remarqua Pierre en riant, alors que le bateau abordait le rivage sablonneux. *Cet endroit convient parfaitement pour des vacances. Enfin du repos ! Voyez comme l'herbe est accueillante !*

Ils eurent à peine le temps de faire du feu que déjà ils n'étaient plus tranquilles. Surgissant le long de la plage, une foule de gens arrivait vers eux. On avait dû voir Jésus s'éloigner, et des centaines de personnes s'étaient hâtées le long du lac pour le rattraper.

L'un des premiers arrivés était un petit garçon. Il marchait depuis des heures, et il était impatient de voir Jésus. Il n'avait même pas eu le temps de manger ce que sa mère lui avait préparé pour le trajet.

Pierre manifesta sa déception : *Oh, non ! Renvoie-les, Seigneur !*

Mais Jésus vit que la plupart de ces personnes étaient tristes et préoccupées. Elles venaient vers lui car elles n'avaient personne d'autre vers qui se tourner ; Jésus ne pouvait pas les renvoyer ainsi. Il parla à chacun, en les réconfortant et en soignant les malades.

Le soir venu, le petit garçon avait toujours son panier avec son pique-nique. Les histoires de Jésus étaient si passionnantes qu'il en avait oublié de manger. Il ouvrit enfin le couvercle de son panier : le pain et les poissons sentaient bon. C'est alors qu'il se demanda si Jésus avait, lui, quelque chose pour son dîner.

Il a l'air si fatigué et si affamé ! pensa le jeune garçon, et, refermant le couvercle, il se faufila vers les disciples. Ceux-ci s'impatientaient : *Allez, Maître ! Renvoie tous ces gens afin que nous ayons le repos dont nous avons tous besoin !*

Mais ils ont faim !, dit Jésus. *Ils sont venus ici si vite que la plupart ont oublié d'apporter de quoi manger. Les boutiques sont très loin, et les enfants sont fatigués. Nous devons leur donner quelque chose avant leur départ.*

Philippe, qui connaissait l'état de la bourse commune, fit remarquer : *Deux cents pièces d'argent ne suffiraient pas à les nourrir tous !*

Il y a un garçon ici, signala André. *Il dit qu'il veut te donner son pique-nique, Seigneur ! Regarde, cinq pains ronds et deux poissons. Au moins toi, tu auras de quoi te rassasier !*

Jésus se pencha et prit le panier du petit garçon, qui jamais, jamais n'oubliera le sourire de Jésus lorsqu'il le remercia chaleureusement.

Demande à tous de s'asseoir sur l'herbe, dit Jésus.

Après avoir remercié Dieu, il ouvrit le panier et commença à sortir les poissons, en sandwich dans les pains ronds.

Un, deux, trois... dix, onze, ... vingt,... trente... ! compta le garçon. *Qu'est-ce qui se passe ? Jésus sort de mon panier assez de nourriture pour tout le monde ? ... Alors qu'il y en avait juste assez pour moi !*

Et pendant que la foule retournait chez elle, cette nuit-là, heureuse et rassasiée, le petit garçon sut qu'**il ne désirait rien d'autre que suivre Jésus**.

Matthieu 14 : 22-32 ; Jean 6 : 16-69

TEMPETE SUR LA MER

LE PETIT BATEAU au milieu du lac chavirait presque, lorsque les grandes vagues s'écrasaient contre lui. Le vent et la pluie cinglaient les visages effrayés des disciples.

Je savais que cette tempête était en train d'arriver ! cria Pierre, mais sa voix se perdit dans un craquement de tonnerre. Il avait pourtant bien essayé d'avertir tout le monde, alors qu'ils étaient tous sur la plage ! Mais Jésus avait dit : *Nous devons partir d'ici immédiatement. Vous, vous ramez jusqu'à Capernaüm et moi, je monte dans les collines. Je vous rejoindrai bientôt !*

Tout était allé vraiment mal après l'immense pique-nique sur la plage. Les gens étaient si excités qu'ils voulaient se rendre à Jérusalem et y couronner Jésus en tant que roi. Exaltés, ils se disaient : *Les Romains ne pourront plus nous imposer leurs lois et prendre notre argent ! Nous sommes des centaines ici, partons tout de suite. Vive la révolution !*

Mais Jésus n'était pas venu pour avoir un palais et être roi dans ce monde. Lorsqu'il essaya de le leur expliquer, les gens ne l'écoutèrent pas. *Emparez-vous de lui,* crièrent-ils. *Il doit être notre roi.* C'est pourquoi Jésus devait s'enfuir, et quand ils s'aperçurent de son départ, ils furent très déçus.

Dans le bateau, Pierre aurait préféré que Jésus fût avec eux.

Dans une minute, nous allons couler ! pensa-t-il alors que le bateau se remplissait d'eau.

Qu'est-ce que c'est ? balbutia André, lorsqu'un autre éclair troua l'obscurité. Au-dessus des grandes vagues, une forme effrayante venait lentement vers eux. *C'est un fantôme !* hurlèrent-ils. Lâchant leurs rames, ils plongèrent dans le fond du bateau. Pierre seul resta à affronter la tempête.

N'ayez pas peur, c'est seulement moi !

A travers le vent hurlant leur parvint la voix qu'ils aimaient tant, et soudain Pierre comprit

qu'il s'agissait de Jésus. Il ne réfléchit pas à ce qu'il faisait, sauta du bateau et courut vers Jésus sur les vagues. *Tout ira bien lorsque je l'atteindrai !* pensa-t-il. Mais soudain, il réalisa ce qu'il faisait. *On ne peut pas marcher sur l'eau. Je vais couler !*

Dès qu'il s'arrêta de regarder seulement Jésus, Pierre remarqua les hautes vagues et il commença à couler : *Seigneur, sauve-moi !*

En un éclair, Jésus fut là, et se penchant, il prit la main de Pierre : *Eh bien Pierre, tu ne me faisais plus confiance ?*

Ils furent très vite en sécurité dans le bateau, et instantanément le vent et la pluie s'éloignèrent. Les vagues ne furent plus que des clapotis.

C'était bon de se retrouver à Capernaüm, mais la belle-mère de Pierre eut à peine le temps de leur préparer le petit déjeuner, que la foule les avait de nouveau rattrapés.

Nous voulons un autre repas gratuit ! exigèrent les gens. Mais lorsqu'ils se rendirent compte que Jésus ne faisait pas leurs quatre volontés, ni qu'il ne leur offrirait une vie facile et confortable, beaucoup se mirent à lui en vouloir.

Au coucher du soleil, Jésus regardait tristement le flot de personnes sortant de Capernaüm. Plusieurs disaient : *Nous rentrons chez nous ! Jésus est fou ! Nous ne l'écouterons plus !*

Le Seigneur se tourna alors vers ses disciples : *Allez-vous me quitter, vous aussi ?*

Où pourrions-nous aller ? répondit Pierre en souriant. **Jésus, tu es le seul qui connaisse le chemin du ciel**.

Jean 7 : 12 ; Luc 15 : 1-2, 11-14

UN DEPART RATE

JÉRUSALEM était plein de rumeurs. Lorsque Jésus arriva pour la fête, cette année-là, tous semblaient le fixer avec attention. *C'est un homme bon,* disaient certains.

Non ! répliquaient les autres. *Il dit qu'il est Dieu, c'est donc un menteur !*

Regardez-le donc maintenant ! s'exclamèrent les Pharisiens, horrifiés, lorsqu'ils virent Jésus assis dans une arrière-cour, entouré de nombreuses personnes peu fréquentables. *S'il était réellement Dieu, il n'irait sûrement pas auprès de gens comme ça !*

Et quand ils entendirent ce que Jésus disait, ils furent d'autant plus en colère.

En effet, Jésus racontait une de ses célèbres histoires : Il y avait une fois un fermier qui avait deux fils.

J'aimerais vivre en ville, pensait souvent le plus jeune. *J'irais alors toutes les nuits à des fêtes ; je mangerais et je boirais jusqu'au matin. Je suis fatigué de cette ferme ennuyeuse.*

A la fin, il demanda à son père sa part de l'argent familial, et il partit.

Une grande maison et de beaux habits lui apportèrent des tas d'amis, mais on l'aimait uniquement à cause des cadeaux qu'il faisait, et parce qu'il organisait de belles réceptions.

Un jour, il réalisa que tout son argent était épuisé. *Ça ne fait rien,* pensa-t-il. *Mes amis viendront à mon aide et prendront soin de moi !* Mais les amis en question ne voulaient plus le voir maintenant qu'il était ruiné. De plus, personne ne voulut lui donner du travail. Finalement, le jeune homme partit à la campagne.

Tu peux t'occuper de mes cochons ! dit un fermier, mais il était si avare qu'il ne donna rien à manger à son nouvel employé.

Les cochons sentaient terriblement mauvais, et les détritus pourris qu'ils mangeaient sentaient plus mauvais encore ! Le jeune homme avait si grande faim qu'il ramassa des légumes pourris, dans la boue, et commença à manger. Il sanglotait de misère et de déception : *Pourquoi ai-je quitté mon père ? Il ne traiterait jamais ses serviteurs de cette façon. Ils sont tous bien nourris et chaudement vêtus.*

Soudain, il se redressa. Il venait de prendre une décision : *Je sais ce que je vais faire ! Je vais rentrer à la maison et dire à mon père que je suis désolé et que je regrette d'être parti. Peut-être me laissera-t-il travailler comme serviteur....*

Dans l'arrière-cour, tous les auditeurs de Jésus écoutaient attentivement cette triste histoire. Ils se demandaient quelle serait l'attitude du père.

Jésus poursuivit sa parabole :

Alors que le garçon était encore loin de chez lui, son père l'aperçut, parce qu'il l'attendait tous les jours depuis son départ. Il descendit la route en courant, les bras grands ouverts, et le maigre garçon en guenilles, trébuchant vers lui, tomba dans ses bras.

Père, je suis désolé, dit-il en larmes, alors que son père l'embrassait. **Je te demande pardon**.

Le père, heureux, souriait : *Allons te mettre des vêtements propres. Ce soir, nous aurons une fête pour célébrer ton retour.* Il entoura le garçon de ses bras et tous deux marchèrent jusqu'à la maison.

La foule poussa un grand soupir de soulagement. Jésus voulait leur dire que Dieu leur pardonnerait toujours, aussi mauvais qu'ils soient, si seulement ils le lui demandaient.

Jean 7 : 12, 32, 45-48 ; Luc 10 : 25-37

SUR LA ROUTE DESERTE

LES PHARISIENS avaient fait appel à la police du Temple : *Allez arrêter ce Jésus ! Nous ne pouvons nous permettre d'encourager la présence dans le Temple de quelqu'un qui prétend être le Messie !* Mais ces policiers se mirent plutôt à écouter les histoires que racontait ce Jésus.

Aimez ceux qui vous haïssent.

Les policiers en restèrent bouche bée : *Avez-vous entendu ça ?*

L'un des pharisiens présents en profita pour poser une question difficile : *Les saints commandements nous disent d'aimer Dieu et les autres comme nous-mêmes ! Mais sûrement, un bon Juif ne peut aimer que des gens biens ?*

Je vais vous raconter une histoire qui répondra à ta question, dit Jésus, alors que tous se pressaient autour de lui :

Un jour, un homme voyageait seul de Jérusalem à Jéricho...

Ah ! s'exclama la foule. Tous savaient combien cette route déserte est dangereuse. Elle passait entre des rochers où s'embusquaient des voleurs, attendant de bondir. Tous auraient détesté se trouver seul sur cette route.

Jésus poursuivait : *Soudain surgit un gang de malfaiteurs armés de bâtons et de couteaux. Ils lui prirent son argent, le battirent cruellement et s'enfuirent en le laissant ensanglanté et à demi-mort sur le sol. Peu de temps après, un prêtre qui se rendait au Temple de Jérusalem, passa par là.*

Oh oh ! dit-il lorsqu'il vit l'homme à terre, couvert de sang et de mouches. *Pauvre homme, mais si je m'arrête pour l'aider, je vais salir mes habits pour le Temple.* Aussi se dépêcha-t-il de continuer son chemin.

Heure après heure, le blessé attendait que quelqu'un passe. Enfin, il entendit des pas, et au tournant apparut un Pharisien. *Il passe son temps à parler aux autres des commandements de Dieu, il va sûrement m'aider !* pensa le blessé.

Nerveusement, l'homme s'approcha et se pencha sur le blessé. *Et si les voleurs qui l'ont attaqué étaient toujours ici,* pensa-t-il en tremblant. *Ils vont probablement m'attaquer et me prendre aussi mon argent.* Il s'empressa de disparaître au loin.

L'infortuné blessé se mit à craindre le pire : *Plus personne ne viendra maintenant ! Il commence à faire nuit et au matin, je serai mort.*

C'est alors qu'il entendit les sabots d'un âne, mais son cœur chavira lorsqu'il ouvrit les yeux. Ce n'était qu'un Samaritain. Il n'allait certainement pas l'aider. En effet, les Samaritains et les Juifs étaient tellement ennemis qu'ils ne se parlaient même pas.

C'est pourquoi notre pauvre homme fut très étonné lorsqu'il sentit les douces mains du Samaritain soulever sa tête. Celui-ci lui donna à boire et soigna ses coupures douloureuses avec une pommade. Des bras solides l'installèrent ensuite sur l'âne, et l'étrange troupe se mit en route pour le plus proche hôtel.

Maintenant étendu sur un lit confortable, et en sécurité, le blessé se posait bien des questions : *Pourquoi ce Samaritain s'est-il montré si bon à mon égard ? Et je n'ai plus d'argent pour payer cet aubergiste.*

Ne t'en fais pas, dit le Samaritain en souriant. *Tu peux rester ici jusqu'à ce que tu ailles mieux ; c'est moi qui paie la note.*

Jésus se tourna vers l'homme qui l'avait interrogé, et lui reposa une question : *Qui, dans cette his-*

toire, a vraiment aimé le blessé ? Est-ce un bon Juif qui a toujours suivi les commandements de Dieu ?

Le Pharisien, mal à l'aise, fut obligé de répondre : *Non ! C'est plutôt le Samaritain.*

Alors, tu as compris comment et qui il fallait aimer ! dit Jésus.

Eh bien ! Vous l'avez arrêté ? demandèrent les responsables du Temple aux policiers.

Ils répliquèrent très embarrassés : *Pourquoi l'arrêter ? Nous n'avons jamais entendu quelqu'un parler comme lui.*

Luc 9 : 18 ; Matthieu 16 : 14-25, 17 : 1-23 ; Luc 9 : 31

FRAYEUR SUR LA MONTAGNE

LE DERNIER JOUR DE LA FÊTE, les Pharisiens étaient si furieux contre Jésus, qu'ils lui lançaient des pierres.

Ses disciples et lui s'enfuirent donc de Jérusalem.

Chaque fois que Jésus était triste ou préoccupé, il s'isolait pour parler à Dieu. En quittant Jérusalem, il disparut si longtemps que ses disciples commencèrent à le chercher. Lorsqu'ils le retrouvèrent enfin, Jésus leur posa une étonnante question : *Qui pensez-vous que je suis ?*

Soulagé de le revoir, et souriant, Pierre répondit : *Tu es le Messie, dont nous ont parlé tous les prophètes !*

Tu as raison, Pierre, répliqua Jésus ! *Mais n'oubliez pas, mes amis, ce que les prophètes ont dit au sujet de ce qui devait arriver au Messie. Bientôt, je retournerai à Jérusalem. A ce moment-là, les prêtres et les Pharisiens m'arrêteront, me battront et me tueront. Je resterai mort pendant trois jours.*

Pierre fut encore le premier à s'indigner : *Non ! Tu es si puissant que tu pourrais facilement empêcher tout cela !*

La fermeté de Jésus impressionna tout le monde : *Tais-toi, Pierre ! Tu parles comme Satan. Il aimerait beaucoup faire rater les projets de Dieu.*

Se tournant vers les autres, il ajouta encore : *Rappelez-vous ceci ! Me suivre sera toujours difficile. Cependant, je serai toujours attentif à ce que vous faîtes pour moi, même en secret. Et un jour, je vous récompenserai devant tous !*

Pierre, Jacques et Jean, les disciples les plus proches de Jésus, ne pouvaient supporter la pensée qu'on puisse lui faire du mal. Pour les rassurer, Jésus les invita : *Venez, vous trois, et montons ensemble sur cette montagne. Cela pourra vous encourager !*

Juste comme ils atteignaient la dernière partie du chemin, les trois disciples virent un étrange spectacle. Jésus commença à rayonner comme s'il avait une lampe puissante à l'intérieur de son propre corps.

Ses vieux habits poussiéreux étincelèrent comme de la neige sous les rayons du soleil.

Intrigué, Pierre questionna ses compagnons : *Qui sont les hommes avec lesquels il parle ?*

Ce sont Moïse et Elie, répondirent-ils, le souffle coupé. *Ils ont dû descendre du ciel.*

Wouah, murmura Pierre. *Ecoutons ce qu'ils disent.* Mais très vite, ils souhaitèrent ne jamais avoir entendu. En effet, Jésus et ses illustres visiteurs d'en haut discutaient du plan de Dieu et de la mort prochaine de son Fils.

Pierre agissait toujours avant de réfléchir, aussi se mêla-t-il à la conversation. *Laissez-nous construire pour vous trois petites tentes,* proposa-t-il. *Ainsi, vous pourrez rester ici éternellement. Et nous avec vous !*

Soudain, tous furent pris dans un nuage brillant qui les couvrit complètement. Tel le tonnerre, la voix de Dieu retentit : **Voici mon Fils bien aimé ! Ecoutez-le !**

Ils furent paralysés de peur. Même Pierre ne trouva rien à dire. Ils s'étendirent sur le sol, et couvrirent leur tête.

Lorsque quelqu'un les toucha, ils tremblèrent comme des animaux effrayés, mais levant les yeux, ils virent que c'était Jésus qui se tenait près d'eux. Il était seul.

N'ayez pas peur ! dit-il doucement. *Venez ! Il y a du travail pour nous, là-bas dans la vallée.*

Matthieu 19 : 16-26, 17 : 24-27

L'HOMME QUI DIT NON A JESUS

J*'AIMERAIS ÊTRE ASSEZ RICHE pour vivre dans une maison comme celle-ci !* s'exclama Judas Iscariot, l'un des disciples de Jésus.

Ils rentraient à Capernaüm après des semaines sur les routes poussiéreuses. Pierre regrettait son bateau et l'odeur de la mer, il souhaitait rentrer au plus tôt ! Quant à Judas, il traînait en admirant la magnifique bâtisse. Il se montra encore plus intéressé lorsque André lui apprit : *Le propriétaire de cette maison est l'homme le plus riche de la ville. Ce qui ne l'empêche pas d'avoir l'air malheureux !*

A ce moment-là, la porte de la grande maison s'ouvrit et l'homme riche se précipita dans la rue. *Bon Seigneur,* dit-il à Jésus, *dis-moi comment vivre éternellement ! J'ai gardé les commandements de Dieu toute ma vie, mais je ne suis toujours pas certain qu'il soit content de moi.*

Jésus regarda les mendiants en guenilles regroupés misérablement dans les caniveaux. Il remarqua aussi les personnes âgées qui n'avaient jamais assez à manger et les bébés qui pleuraient désespérément pour la nourriture que leurs mères ne pouvaient leur donner. Puis il fixa les yeux vers le visage impatient de l'homme riche. Doucement, il lui dit : **Je souhaite que tu sois mon disciple**. *Mais peux-tu vendre tout ce que tu as et donner l'argent aux pauvres comme eux ?*

L'homme riche regarda sa jolie maison, pensa à ses beaux meubles et à ses chevaux rapides dans l'écurie. Lentement, l'excitation s'effaça de son visage et il s'éloigna. Il retourna dans sa grande maison, la monunentale porte d'entrée se referma silencieusement derrière lui.

Longtemps Jésus resta dans la rue, regardant tristement dans sa direction. Il aimait tellement ce jeune homme !

Il soupira : *Comme c'est dur aux riches d'entrer dans mon royaume ! C'est comme si un chameau surchargé de bagages essayait d'entrer dans la ville par une porte minuscule. Vous savez, celle que l'on appelle 'le trou de l'aiguille'. Tout ce qu'il transporte doit d'abord être déchargé.*

Inquiet, Judas Iscariot demanda : *Alors, les riches ne peuvent pas te suivre ?*

Avec l'aide de Dieu, tout est possible ! répliqua Jésus, et avec un dernier regard plein de tristesse vers la maison du riche, il descendit la rue.

Pierre sursauta. On venait de l'interpeller : *Maintenant que vous êtes à la maison, toi et Jésus pouvez payer votre impôt !*

Très pressé, il s'était précipité tout droit au bord du lac pour voir si son bateau était toujours en bon état. Hélas, il venait de tomber sur le collecteur de taxes !

Mais nous n'avons pas d'argent ! protesta Pierre, sentant sa bourse vide. *D'ici demain, tu devras pourtant payer !* menaça l'homme. Pierre courut chez lui, très alarmé. Il trouva Jésus assis près du feu et lui demanda ce qu'il fallait faire.

Jésus répondit : *Prends ta canne à pêche et va au lac. Dans la bouche du premier poisson que tu pêcheras, tu trouveras une pièce d'argent. Donne-la pour nous deux au collecteur de taxes.*

Voilà ! dit Pierre triomphant, le lendemain, au collecteur de taxes. *Il n'y a rien que mon maître ne puisse faire !*

Luc 17 : 11-19

L'HOMME QUI DIT MERCI

C'ÉTAIT LE SOIR, et le vent soufflait autour de la colline déserte. Au loin, les lumières du village brillaient doucement. Mais, dans l'ombre, dix hommes se cachaient ; ils savaient qu'ils ne pourraient jamais rentrer chez eux.

Ils avaient la lèpre, et leurs corps se détérioraient lentement. Les gens avaient si peur d'attraper la maladie qu'ils les avaient chassés du village. Les lépreux vivaient ainsi, seuls au milieu des rochers.

Soudain, tous les dix bondirent sur leurs pieds. Quelqu'un venait vers eux depuis le village. Toutes les nuits, leurs femmes leur apportaient de la nourriture et de l'eau, puis s'en allaient rapidement, laissant les paniers sur le sol.

Si seulement, je pouvais revoir ma famille ! pensa l'un des malheureux lépreux. Parce qu'il était Samaritain, il se sentait encore plus seul que les autres. Les Juifs détestent les Samaritains.

Quelque chose de bizarre se passait donc ce soir-là. Au lieu de rentrer chez elles, les femmes agitaient les bras et criaient : *Ecoutez ! Nous avons de bonnes nouvelles ! Un homme appelé Jésus est dans les parages et il guérit les malades, même les lépreux !*

Les dix hommes purent à peine manger cette nuit-là, tant ils étaient excités. *Supposons qu'il puisse réellement nous guérir !* demanda l'un d'eux.

Mais croyez-vous qu'un personnage aussi important viendra même dans notre village ? releva un autre. Ils prirent ensemble la décision de surveiller la route au cas où Jésus viendrait à passer. *Ce serait terrible de le manquer !*

Même s'il vient, pensa tristement le Samaritain lépreux, *il ne voudra pas me soigner.*

Jésus dit un jour à ses disciples : *Allez, en route ! Nous allons nous rendre à Jérusalem.*

Seigneur, hésitèrent-ils. *Tu sais que les prêtres et les Pharisiens complotent et veulent te tuer.*

Jésus les regarda tristement. Il leur avait expliqué tant de fois que sa mort et sa résurrection faisaient partie du plan de Dieu qu'il s'étonnait de leur incrédulité.

Pierre grommela : *Pourquoi prenons-nous cette route ? C'est un détour qui allonge notre chemin !* Jésus se contenta de sourire. Il savait que sur cette route, il y avait dix lépreux à rencontrer.

Enfin, il vient ! s'exclamèrent les lépreux en voyant une grande foule apparaître au loin. Aussitôt, ils se mirent à l'interpeller avec force : **Jésus, aie pitié de nous !**

Jésus s'arrêta au beau milieu de la route. *Allez voir le prêtre,* cria-t-il en retour, *et lorsqu'il verra*

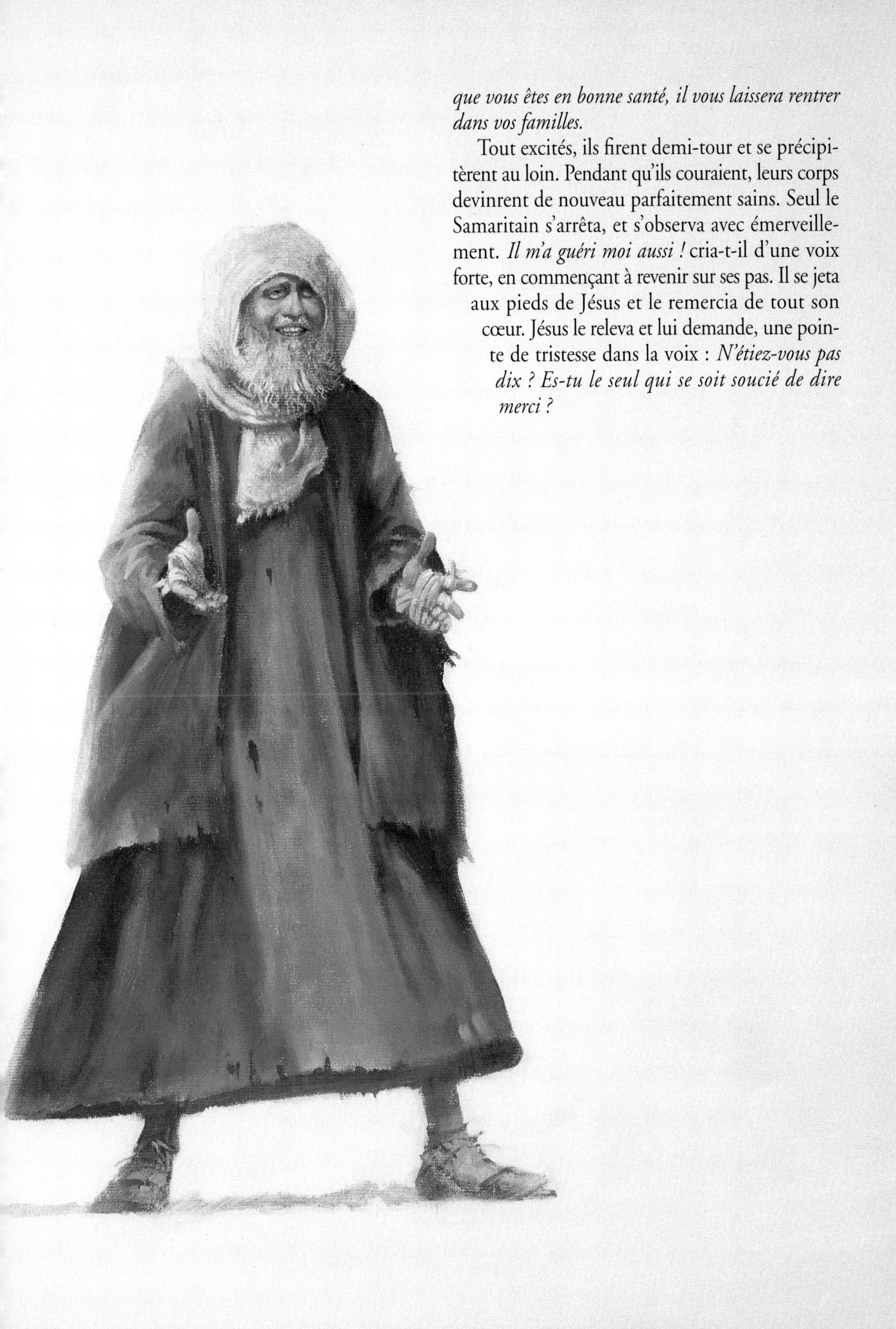

que vous êtes en bonne santé, il vous laissera rentrer dans vos familles.

Tout excités, ils firent demi-tour et se précipitèrent au loin. Pendant qu'ils couraient, leurs corps devinrent de nouveau parfaitement sains. Seul le Samaritain s'arrêta, et s'observa avec émerveillement. *Il m'a guéri moi aussi !* cria-t-il d'une voix forte, en commençant à revenir sur ses pas. Il se jeta aux pieds de Jésus et le remercia de tout son cœur. Jésus le releva et lui demande, une pointe de tristesse dans la voix : *N'étiez-vous pas dix ? Es-tu le seul qui se soit soucié de dire merci ?*

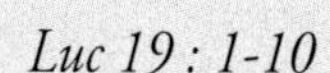

Luc 19 : 1-10

L'HOMME TROP PETIT

À Jéricho, personne n'aimait Zachée. Sa réputation était déplorable : *C'est un petit voleur avide. De plus, il travaille pour les Romains ! Il est leur collecteur d'impôts et nous réclame davantage d'argent qu'ils n'en demandent en réalité, ainsi il en garde une partie pour lui. Il est devenu riche avec notre argent !*

Les gens ne lui parlaient jamais dans la rue, et tous les soirs, il était seul dans sa grande maison devant un repas digne d'une fête, mais personne avec qui le partager. Zachée faisait semblant de s'en moquer, mais en son for intérieur, il était désespérément triste.

Un jour, alors qu'il travaillait dans son bureau, il entendit un grand bourdonnement d'excitation dehors, dans la rue.

Les gens se disaient les uns aux autres : *Il va passer en montant à Jérusalem !*

Qui vient ? demanda Zachée à l'un de ses serviteurs.

Jésus de Nazareth, lui répondit-il.

Zachée commença à frémir. Depuis trois ans, il entendait beaucoup d'histoires sur cet homme. Les piles de pièces d'or sur son bureau lui semblèrent brusquement dérisoires. Il sut qu'il devait absolument voir Jésus. Ses serviteurs furent étonnés lorsqu'il bondit de son siège et se précipita dans la rue, soliloquant : *Je dois parvenir à traverser la foule. Je suis si petit que je ne peux pas voir par-dessus leurs têtes.*

Dès qu'on le reconnut, Zachée fut repoussé.

Les gens l'insultaient : *Va t'en, Zachée ! Comment oses-tu te présenter devant Jésus ? Nous ne voulons pas que ce saint homme te voie : tu es la honte de la ville !*

Sans les écouter, Zachée se mit à courir devant la foule : *Je vais grimper sur ce vieux sycomore dans lequel je jouais quand j'étais enfant ; si je me cache parmi les feuilles, je pourrai tout voir et personne ne m'en empêchera.*

Il était facile de deviner qui était Jésus. Agrippé fébrilement aux branches, Zachée, en le voyant, songea qu'il n'avait jamais lu une telle bonté sur un

visage. Cela le troubla beaucoup. Ah, s'il pouvait recommencer sa vie, comme il voudrait être autrement qu'il n'est aujourd'hui !

Brusquement, le cortège s'arrêta à la hauteur de l'arbre et Jésus leva les yeux. Il rencontra ceux plein de peur de Zachée. Et le Seigneur apostropha le collecteur d'impôts : *Zachée, descends ! Je voudrais aller chez toi.*

En descendant de l'arbre, Zachée s'interrogeait encore : *S'il sait qui je sais, comment peut-il vouloir venir chez moi !*

Les honnêtes gens de Jéricho étaient jaloux : *C'est nous qui méritons une visite de Jésus dans nos maisons ! Comment peut-il aller chez un homme aussi mauvais que Zachée ?*

Percevant ce jugement et cette contestation, Jésus se tourna vers les personnes qui l'entouraient et expliqua : *C'est pour les gens comme lui que je suis venu ! N'est-ce pas eux qui doivent changer ?*

Quelle fête ce fut ! Zachée ne se rappelait pas avoir été, un jour, aussi heureux. Il déclara à Jésus : *Je vais donner la moitié de mon argent aux pauvres ! Et après, je rendrai quatre fois la somme à chaque personne que j'ai volée !*

Jésus le regarda avec tendresse et lui annonça : *Zachée,* **aujourd'hui Dieu t'a sauvé !**

Marc 10 : 46-52

L'HOMME QUI VIVAIT DANS LA NUIT

BARTIMÉE AVAIT VÉCU DANS L'OBSCURITÉ toute sa vie : *Gardez une pièce pour un pauvre aveugle !* se lamentait-il en cherchant son chemin à tâtons près de Jéricho.

Ote-toi de ma route, espèce de sale vieux mendiant ! criaient des voix en colère. Nul ne se souciait de sa peine. Même les ânes le bousculaient, lorsqu'il marchait le long de la route.

Le seul jour où il se sentait en sécurité était le jour du Sabbat. A ce moment-là, la ville était tranquille et les boutiques fermées. Il se frayait alors un

chemin jusqu'à la synagogue, mais il n'avait pas le droit d'y entrer.

Il restait au-dehors et écoutait, car il aimait entendre le rabbin lire les textes sur le grand roi qui devait venir un jour. La prophétie disait : *Il rendra la vue aux aveugles.* Ces mots donnaient assez d'espoir à Bartimée pour continuer à vivre.

Qu'est-ce qui se passe ? se demanda Bartimée un jour. Jéricho semblait encore plus affairée que d'ordinaire. L'obscurité qui l'enveloppait était pleine du bruit de pas pressés et de voix excitées.

Une main le bouscula et on lui lança : *Tu encombres la route, Bartimée ! Ne sais-tu pas que Jésus est à Jéricho ?*

L'aveugle avait entendu parler de Jésus parce que depuis des mois, on racontait l'extraordinaire changement survenu dans la vie de Zachée. On disait que c'était un miracle ! Lui, Bartimée, se souvenait que le changement s'était opéré lors du précédent passage de Jésus à Jéricho. Anxieux, il demanda : *Où est-il ?* Personne ne prit la peine de lui répondre.

Tâtonnant dans la ville encombrée, il cherchait quelqu'un qui puisse l'aider à trouver Jésus, mais nul ne s'occupait de lui. Alors, il décida : *Je vais l'attendre à la sortie de la ville. Il devra forcément passer par-là !*

Hélas, Jésus était entouré et pressé par une telle foule que le pauvre Bartimée se retrouva rejeté dans la boue. *Jésus, aide-moi !* cria-t-il aussi fort qu'il put, mais les gens le repoussèrent quand il essaya de se relever. Certains lui demandèrent de se taire : *Jésus sera le plus grand roi au monde ! Il est bien trop pris pour s'occuper de mendiants comme toi !*

Mais le rabbin a dit que le Messie de Dieu rendrait la vue aux aveugles, protesta Bartimée et, prenant une profonde inspiration, il cria encore : *Jésus, Fils de David, aide-moi !*

Les bruits autour de Jésus étaient assourdissants, mais le Seigneur s'arrêta et demanda à Pierre : *Amène-moi cet aveugle !*

Malgré sa stature colossale, Pierre eut du mal à se frayer un passage à travers la foule pour atteindre Bartimée. Il prit la main du pauvre mendiant dans le fossé et lui dit : **Courage ! Jésus t'appelle**.

Jusqu'ici, personne ne l'avait touché avec bonté. Etait-il en train de rêver ? Et le rêve se poursuivit. Une voix très douce lui demanda : *Que veux-tu que je fasse pour toi ?*

Bartimée répondit, non sans bégayer : *Mon Seigneur, je voudrais tant voir !*

Et ouvrant ses yeux, la toute première personne qu'il vit fut Jésus.

Jamais il n'avait été aussi heureux de sa vie. Aussitôt, il demanda au Seigneur Jésus s'il pouvait le suivre désormais. Jésus posa son bras chaleureux sur l'épaule de Bartimée et l'invita à rester avec lui. Bartimée sut qu'il ne serait plus jamais seul.

Matthieu 21 : 1-11 ; Luc 19 : 41-44 ; Jean 12 : 16 ; Luc 19 : 47-48 ; Luc 13 : 34 ; Luc 22 : 1-6

JESUS PLEURE

TOUS DEVENAIENT FOUS d'excitation, saluant et sautant : *Jésus est en route ; il vient à la fête !*

Dès que les gens de Jérusalem entendirent ces nouvelles, ils se précipitèrent hors de la ville, pour aller sur la route, à sa rencontre. *Regardez ! Il monte un petit ânon,* s'exclamèrent-ils ! *Les prophètes disaient bien que notre Messie viendrait de cette façon ! Notre roi est enfin là !*

Ils n'avaient pas de drapeaux, aussi coupèrent-ils des feuilles de palmiers et ils les agitèrent sur son passage.

Les disciples étaient tout aussi exaltés que les autres. Ils avaient tout à fait oublié ce que Jésus leur avait dit, à savoir qu'il allait mourir à Jérusalem. *Quand il sera roi, nous l'aiderons à gouverner le pays,* pensaient-ils joyeusement. *Et tout le monde reconnaîtra que nous sommes très importants.*

Et je m'occuperai des finances, pensait Judas Iscariot avec un mauvais sourire. *Je serai bientôt très riche.*

Les rois marchent sur des tapis ! rappela quelqu'un. Aussitôt, les gens enlevèrent leurs manteaux et les étendirent sur la route.

Faites place au grand roi ! L'écho des cris retentissait dans les collines, mais lorsque Jésus baissa le regard vers Jérusalem, magnifique au milieu des collines et des oliveraies, il se sentit brusquement très triste. Il pleura. Il lisait l'avenir et savait que bientôt les Romains massacreraient des milliers de Juifs et en emmèneraient beaucoup loin de leur pays. Il pensait à la ruine prochaine de la ville et du Temple. De plus, en regardant tous ces visages heureux autour de lui, il devinait que dans moins d'une semaine, leur excitation se changerait en colère contre lui.

Seuls les plus proches de lui l'entendirent soupirer : *Oh ! Jérusalem, Jérusalem ! Aujourd'hui,* **ton Dieu est venu te sauver** *; je voulais te protéger, comme une poule prend soin de ses poussins, mais tu ne me laisses pas faire.*

Lorsque la grande procession arriva enfin à Jérusalem, la ville était en effervescence. *Etes-vous tous devenus fous ?* hurlèrent les chefs des prêtres et les Pharisiens. Ils se mirent à interpeller le Seigneur : *Jésus ! Dis à la foule de se calmer immédiatement !*

Jésus leur répondit avec douceur : *Si les gens de Jérusalem ne criaient pas, les pierres elles-mêmes le feraient pour me louer !*

Caïphe, le grand prêtre, derrière les volets fermés de sa maison, se demandait :

Qu'allons-nous faire ? Le monde entier semble vouloir suivre cet homme ; nous devons l'éliminer ! Ses conseillers argumentèrent : *Comment allons-nous pouvoir l'arrêter ? Le peuple ne nous laissera jamais faire !*

L'un des pharisiens répliqua avec perfidie : *Les gens, on en fait ce que l'on veut !*

Un autre prêtre proposa un plan : *Il nous faut savoir où il passera la nuit. Et proposons une forte prime. Il est évident que pour de l'argent, il y aura bien quelqu'un qui le trahira et nous le livrera !*

Chez Caïphe, on se frottait les mains.

Certainement Satan inspirait-il ces méchantes personnes.

Jean 13, 14 ; Marc 14 : 1-31

LE TRAITRE

LES RUES DE JÉRUSALEM étaient sombres et tranquilles : dans les maisons, les familles étaient rassemblées pour préparer la fête de la Pâque. C'était un repas de fête très spécial où tous mangeaient de l'agneau rôti.

C'est la nuit où nous nous rappelons comment Dieu nous a sauvés de l'esclavage en Egypte ! expliquaient les parents aux enfants. Et, selon le rituel, le fils aîné de chaque maison devait ajouter : *Les agneaux sont morts à notre place !*

Dans une petite chambre à l'étage d'une maison, les disciples préparaient aussi le repas pascal, mais tout semblait aller de travers entre eux. Ils se disputaient :

Ce n'est pas à moi de m'occuper de cela ! C'est le travail d'un esclave ! grogna Matthieu tandis que Pierre déclara : *Moi, je suis bien trop important pour vous laver les pieds !*

Les rues étaient pleines de poussière, c'est pourquoi on devait toujours se laver les pieds avant d'entrer dans une maison... surtout pour un repas ! Personne n'aimait faire ce travail. Jésus regarda tristement les visages tendus de ses amis ; puis tranquillement, il s'agenouilla et commença à leur laver lui-même les pieds.

Tu ne devrais pas faire ça, Seigneur ! s'exclamèrent-ils, horrifiés. Mais, avec sa douceur coutumière, Jésus répondit : *Je le fais parce que je vous aime !* **Mes amis, vous devez apprendre à vous aimer et à vous rendre service les uns aux autres**.

Honteux de leur conduite, ils s'assirent à la table pour souper. Jésus paraissait toujours aussi triste. Il soupira : *L'un d'entre vous projette de me trahir !*

Les disciples avalèrent de travers et se défendirent : *Aucun de nous ne ferait une chose pareille !* Jésus regardait directement Judas Iscariot.

L'homme aimait l'argent, et toute la semaine, Satan lui avait glissé à l'oreille : *Jésus ne te rendra jamais riche, mais les prêtres le peuvent, eux ! Pourquoi ne pas les aider à s'emparer de lui ? Ils offrent une belle prime !*

Succombant à cette tentation, Judas était allé voir les prêtres et les Pharisiens et leur avait offert ses services. Satisfaits, ils lui avaient promis une récompense : *Nous te donnerons trente pièces d'argent si tu nous conduis à sa cachette !*

Ce soir-là, à table avec tous les autres et surtout avec Jésus, Judas ne se sentait pas très à l'aise.

Il ne cessait de penser : *Il sait que c'est moi le traître !*

Tu ferais mieux d'aller chercher les soldats maintenant, lui murmura Satan. *Ce soir, c'est l'occasion où jamais !*

Comme Judas s'éclipsait dans la nuit, Jésus commença à rompre le pain et donna les morceaux à ses amis. Puis, il versa du vin dans une coupe et chacun en but une gorgée. Il leur expliqua : *Je m'en vais ! Chaque fois que vous partagerez le pain et le vin ensemble de cette façon, vous vous souviendrez de moi.*

Partir ? Mais, tu nous laisses seuls ? s'exclamèrent-ils tous, désolés. Alors Jésus chercha à les rassurer :

Ne vous en faites pas. Je reviendrai et je vivrai dans vos cœurs, mais bien sûr, vous ne pourrez pas me voir. Maintenant, nous devons nous mettre en route. Satan essaie de me faire tuer, mais rappelez-vous, il ne peut rien faire sans mon autorisation !

Saisissant son épée, Pierre tonna : *Personne ne te fera du mal, si je suis près de toi !*

Jésus répliqua, repoussant l'arme : *Pierre, avant le chant du coq, au petit matin, tu auras dit trois fois que tu ne m'as jamais connu.*

Ils le suivirent hors de la ville et entrèrent dans le petit jardin que Jésus aimait tant : le Jardin des Oliviers.

Jean semblait nerveux : *Quelque chose de terrible va se passer !*

Pierre tenta de calmer ses craintes : *Nous serons en sécurité ici. Personne d'autre ne sait que nous passons la nuit dans ce jardin !*

Mais il se trompait.

Jean 18 : 1-10 ; Marc 14 : 51-72 ; Luc 22 : 61-62

LA TERRIBLE INJUSTICE

JÉSUS AVAIT PEUR. Il savait, alors qu'il priait, solitaire, dans l'obscurité du jardin, que Judas et les soldats étaient en route pour l'arrêter. Si seulement quelqu'un pouvait lui tenir compagnie, mais tous ses disciples s'étaient endormis. Jésus redoutait la violence et le mal dont il serait bientôt victime. Il ne put retenir ses larmes : *Père !* pleura-t-il en se jetant sur le sol. *N'y a-t-il pas d'autre moyen pour sauver les hommes de l'emprise de Satan ?*

Il percevait bien que son Père n'avait pas d'autre réponse à donner. Quand **il se rappela l'amour du Père pour le monde**, il sécha ses larmes et se releva.

Soudain l'obscurité fut déchirée par la lumière d'une torche. Des soldats Romains et des policiers Juifs surgirent entre les arbres, leurs épées brillant sous le clair de lune.

Quel homme voulons-nous, Judas ? demandèrent-ils.

Celui-ci ! répliqua Judas, s'arrêtant devant Jésus et l'embrassant.

Comme les Romains s'avançaient pour se saisir du prisonnier, une puissance invisible les fit hésiter. Jésus est bien plus puissant que Satan, et aucune armée n'aurait pu tuer le Fils de Dieu si cela n'avait pas fait partie de son plan. Pierre ne le réalisait pas, c'est pourquoi il sauta devant Jésus, brandissant son épée contre les soldats qui se défendirent. Tout ce qu'il réussit à faire fut de couper l'oreille de l'un des soldats !

S'avançant rapidement, Jésus soigna l'homme puis il se laissa emmener vers la ville par les soldats qui furent bien heureux de ce peu de résistance. Les disciples étaient moins tranquilles. Ils s'étaient éparpillés dans toutes les directions pour éviter d'être pris. S'élançant à leur poursuite, les soldats attrapèrent juste un jeune garçon, appelé Marc. Le jeune homme, saisi par le col de sa chemise, se tortilla violemment, se débarrassa de son vêtement et se mit à courir à toutes jambes.

Pierre ne courut pas. Il se faufila dans l'ombre, à bonne distance des soldats, jusqu'à ce que ceux-ci atteignent la maison du grand prêtre.

Es-tu le Fils de Dieu ? demanda rudement Caïphe. Les visages coléreux des prêtres et des Pharisiens fixèrent Jésus, attendant une réponse qui les excita : *Je le suis ! Un jour, vous me verrez sur mon trône dans les cieux !*

Le grand prête hurlait sa haine : *Comment oses-tu te faire l'égal de Dieu ? Tu vas mourir !*

Un des prêtres lui souffla alors à l'oreille : *Attention ! Seuls les Romains peuvent mettre à mort des prisonniers !*

C'est alors que les Pharisiens mirent leur plan à exécution : *Pilate, leur gouverneur, le fera crucifier, si on arrive à lui faire penser que cet homme cherche à se faire lui-même notre roi !*

Dehors, dans la cour, les soldats se réchauffaient auprès d'un feu. Pierre se faufila jusqu'à la porte, essayant d'entendre ce qui se passait dans la maison.

Quelqu'un le remarqua : *Tu es l'un de ses amis !* Effrayé, Pierre le nia , mais une autre personne le reconnut et insista : *Oui, c'est vrai. Tu étais souvent avec ce nazaréen !* Pierre protesta avec véhémence : *Je ne l'ai jamais vu de ma vie !* Une servante le regarda attentivement et lança : *Je t'ai pourtant bien vu avec lui !*

Je vous jure que je ne le connais pas ! se défendit encore Pierre, juste au moment où le coq commençait à chanter.

A travers les portes ouvertes, Jésus se retourna et regarda directement Pierre ; celui-ci s'enfuit dans la rue sombre et pleura amèrement.

Matthieu 27 : 26-66 ; Marc 15 ; Luc 23 : 26-49 ; Jean 19 : 17-37 ; Matthieu 27 : 62-66

LA NUIT EN PLEIN JOUR

LES SOLDATS ROMAINS sortirent de la ville et montèrent sur la colline. Ils avaient cruellement battu Jésus de leurs fouets, jusqu'à le faire presque mourir. Puis ils l'avaient encore forcé à porter une très lourde poutre de bois. Ils se moquaient de lui : *Tu dis que tu es roi ! Il te faut aussi une couronne !* Avec des ronces pointues, ils en fabriquèrent une, et l'enfoncèrent sur sa tête qui se mit à saigner.

Au sommet de la colline, ils le jetèrent à terre, et enfoncèrent de grands clous dans ses mains et ses pieds.

Père ! balbutia Jésus, *pardonne-leur ! Ils ne savent pas ce qu'ils font.*

La croix fut dressée et les soldats jouèrent aux dés pour déterminer qui aurait les vêtements de Jésus.

Des gens venus de Jérusalem lançaient des reproches à Jésus : *Tu nous as bien menti ! Si tu étais réellement le Fils de Dieu, tu descendrais de cette croix !*

Deux autres hommes étaient crucifiés de chaque côté de Jésus ; tous deux étaient des voleurs. *Pourquoi ne te sauves-tu pas toi-même, et nous avec toi ?* se moquait l'un d'eux tandis que l'autre le reprit : *Tais-toi ! Nous avons mérité de mourir à cause de ce que nous avons fait, mais cet homme n'a jamais rien fait de mal. … Seigneur, te rappelleras-tu de moi quand tu dirigeras ton royaume ?*

Jésus tourna son visage vers le brigand qui venait de lui parler, et il réussit à lui dire : *Je te l'affirme : aujourd'hui, tu seras avec moi dans le paradis.*

Quelqu'un pleurait et Jésus baissa les yeux ; il vit sa mère, Marie, agenouillée près de la croix. La plupart de sa famille et de ses amis s'étaient enfuis, aussi Jésus regarda-t-il autour s'il y avait quelqu'un pour la réconforter. Là, en retrait, il aperçut Jean et lança à son intention : *Jean, prend soin de ma mère. Merci de l'emmener maintenant dans ta maison ! Et toi, mère, prend soin de Jean.* Ils redescendirent aussitôt la colline, laissant Jésus seul sur la croix.

Dieu ne pouvait pas regarder pendant que Jésus était puni pour nos fautes. Il devait s'en aller. Le soleil disparut, laissant la terre envahie par une profonde obscurité.

Au ciel, des armées d'anges attendaient. Si Jésus avait appelé, ils auraient détruit la terre entière, mais il nous aimait assez pour rester sur la croix.

Evidemment, Satan et tous ses démons dansaient, dans leur triomphe. Ils pensaient avoir gagné ! Ils ne savaient pas que Dieu plaçait sur Jésus toutes les mauvaises actions jamais commises, afin que nous n'ayons pas besoin de mourir pour nos propres fautes. C'était là le grand plan divin, son projet de toute éternité ! Par contre, Jésus connaissait ce secret et c'est pourquoi, juste avant de mourir, il s'écria : *Tout est parfaitement accompli !*

Le soleil brilla de nouveau et les soldats Romains levèrent des yeux étonnés vers la croix. Le capitaine souffla : **Cet homme était vraiment le Fils de Dieu !**

Les prêtres se précipitèrent dans le bureau du gouverneur Romain. Ils lui annoncèrent :

Ce menteur de Jésus a dit qu'il reviendrait à la vie ! Il a été enterré dans un tombeau fermé par une lourde pierre, mais il serait plus sûr de le faire garder par des soldats.

Comme Pilate en donnait l'ordre, les prêtres sourirent. *Nous avons définitivement gagné !*

Mais, comme le monde entier, ils allaient bientôt être très surpris !

Matthieu 28 ; Marc 16 : 1-18 ; Luc 24 ; Jean 20

LE TOMBEAU VIDE

PARMI LES OMBRES DU PETIT MATIN, un groupe de femmes se hâtait. Aveuglées par les larmes, elles approchèrent du jardin où Jésus avait été enterré.

Marie-Madeleine confiait à ses amies : *Je me sentirai peut-être mieux lorsque je saurai que son corps a été correctement entouré de bandelettes ! Sans Jésus, plus rien ne me rendra heureuse.* Marie-Madeleine faisait partie de ces centaines de personnes que Jésus avait guéries et sauvées. L'une des femmes soupira : *Comment allons-nous déplacer la lourde pierre ?*

Elles n'avaient pas à se faire du souci. En effet, juste avant leur arrivée, quelque chose de merveilleux était arrivé. Un ange, entouré de lumière, avait roulé la grosse pierre et Jésus lui-même était sorti du tombeau. Les soldats en avaient été si terrifiés qu'ils s'étaient évanouis alors que, sous leurs corps étendus à terre, le sol grondait et tremblait.

Donc, lorsque les femmes arrivèrent, elles ne virent que la tombe vide : *Que s'est-il passé ici ? Et où sont les soldats ?*

A cet instant, les soldats, revenus à eux, frappaient à la porte du grand prêtre. Ils étaient toujours aussi épouvantés : *Il est... il est... parti !* bredouillèrent-ils. *Un ange a déplacé la pierre et il est sorti vivant !*

Les prêtres se consultèrent puis leur dirent : *Nous vous paierons ce que vous voudrez, mais ne parlez pas de cela à qui que ce soit ! Racontez que les amis de Jésus ont volé le corps pendant que vous dormiez !*

Les soldats, remis de leurs émotions, protestèrent : *Nous ne pouvons pas dire cela ! Pilate nous punirait si nous reconnaissions avoir dormi durant notre service !*

Les prêtres promirent de prendre leur défense et de les protéger.

Pendant ce temps, nerveusement, quelques unes des femmes entrèrent dans le tombeau et le trouvèrent resplendissant. Elles virent, avec grand étonnement, un ange qui était assis et qui leur dit : *Pourquoi cherchez-vous dans une tombe quelqu'un qui est vivant ? Ne vous rappelez-vous pas que Jésus vous disait toujours qu'il reviendrait à la vie ?*

Les femmes retournèrent précipitamment en ville pour l'annoncer aux disciples, mais Marie-Madeleine ne pouvait pas le croire. Elle sanglotait, appuyant son front sur la pierre froide du tombeau vide : *Ces soldats l'ont pris !*

Soudain, elle sentit une présence derrière elle. Elle pensa qu'il s'agissait du jardinier et lui demanda : *Monsieur, savez-vous où ils l'ont emmené ?*

Quelle ne fut pas sa surprise de s'entendre interpellée par son prénom ! Or, il n'y avait qu'une seule personne pour dire son nom de cette façon. Essuyant les larmes de ses yeux, elle se retourna et contempla le visage de Jésus. Le Seigneur lui dit alors : *Va dire aux autres que je suis vivant !*

Les portes de la chambre étaient verrouillées et les fenêtres condamnées. Les disciples, effrayés, se cachaient des Pharisiens.

Pierre tournait en rond, grommelant comme à son habitude : *Toute la journée, les gens sont venus nous dire avoir vu des choses étranges ! Mais nous savons tous que Jésus est mort et qu'il est parti pour toujours.*

Pour la centième fois, Marie-Madeleine répétait la même chose : *Mais je l'ai vu. Je vous dis que* **Jésus est vivant !**

A ce moment-là, deux hommes tambourinèrent à la porte, le visage écarlate d'avoir couru. Haletants, ils racontèrent : *Nos amies ont raison ! Nous aussi, nous avons vu Jésus ! Nous rentrions chez nous ce soir, et avons rencontré un homme qui nous a rappelé que le Messie devait mourir et ressusciter. Après tout, le plan de Dieu n'a pas échoué ! Nous l'avons invité pour la nuit, et soudain, au cours du repas, nous l'avons enfin reconnu : c'était Jésus !*

Les disciples, abattus par la peine depuis trois jours, ne pouvaient encore pas croire à cette surprenante nouvelle.

Soudain, alors que la porte était parfaitement verrouillée, Jésus apparut devant tous. Il était vraiment là, bien vivant et souriant. Il dit simplement : *J'ai faim ! Qu'y a-t-il à souper ?*

Matthieu 28 : 16-20 ; Marc 16 : 14-20 ; Luc 24 : 45-52 ; Jean 21 ; Actes 1 : 1-11

UN DEPART FANTASTIQUE

JE ME SENS COMME UN LION EN CAGE , grogna Pierre en faisant le tour de la petite pièce où les disciples se cachaient encore. *J'ai besoin de sentir un bateau sous mes pieds et les embruns sur mon visage. Je retourne pêcher.*

Quelques-uns allèrent avec lui. Hélas, les choses ne se passèrent pas comme prévu. Après une nuit d'efforts, ils rentrèrent bredouilles vers la rive.

Puis, à travers la brume du petit matin, ils virent un homme sur la plage, et sa voix portait clairement par-dessus l'eau calme : *Jetez les filets du bon côté du bateau !*

C'est ce que Jésus m'avait déjà dit, un jour ! remarqua Pierre, souriant, en tirant les lourds filets de pêche. Instantanément, le bateau entier sauta de vie ; les poissons étaient partout, les filets en étaient pleins.

Jean s'exclama : *Ce ne peut être que le Seigneur en personne !*

Pierre n'attendit pas. Il plongea par-dessus bord. Si Jésus était sur la plage, il voulait être près de lui.

Un feu de bois crépitait déjà sur la berge, et Jésus avait préparé du pain et du poisson pour le petit déjeuner. Pierre fixa le Seigneur avec émerveillement. Et Jésus lui demanda, tranquillement : *Pierre, m'aimes-tu ?*

L'émotion s'empara de Pierre qui, d'une voix étouffée, répondit : *Bien sûr !*

Jésus, posant sa main sur l'épaule du rude pêcheur, lui confia : *Alors, prends soin de mes amis.*

Plus tard, lorsque les autres eurent tiré le filet sur la plage, Jésus demanda de nouveau : *Pierre, m'aimes-tu ?*

Tu sais que je t'aime ! protesta Pierre.

Alors, enseigne ceux qui me suivront. Mais Pierre, es-tu sûr de m'aimer ?

Soudain, Pierre se rappela la nuit terrible où il avait dit, à trois reprises, qu'il n'avait jamais connu Jésus. Il rougit de honte et confessa : *Tu sais tout, Seigneur ! Tu sais que je t'aime !*

C'est pourquoi j'ai besoin que tu prennes soin des autres ! dit Jésus.

Pierre fit alors une déclaration solennelle : *Je ne retournerai plus pêcher. Je passerai ma vie à parler de toi aux autres hommes.*

Jésus se tourna vers ses amis, autour du feu, et leur déclara : *C'est ce que je veux que vous fassiez tous ! Allez partout dans le monde et dites aux gens que je les aime. Expliquez-leur qu'ils peuvent s'approcher de Dieu et vivre éternellement dans mon Royaume, parce que je suis mort pour eux. Tout ce que je demande, c'est qu'ils regrettent leurs mauvaises actions et qu'ils me laissent les aider à changer.*

Puis, les regardant tous tour à tour, il ajouta : *N'oubliez pas,* **je serai toujours avec vous**.

Ces mots-mêmes leur parurent vraiment bizarres lorsque, peu de temps après, ils firent une promenade avec Jésus dans les collines près de Jérusalem. Soudain, le ciel entier fut illuminé d'une lumière fantastique et Jésus commença à s'élever dans les airs : *Je retourne auprès de mon Père ! Restez à Jérusalem et attendez que je revienne pour toujours en vous, par mon Saint-Esprit.*

Il était venu sur la terre comme un tout petit bébé dans une pitoyable étable, mais il repartit sur des nuages, dans la splendeur de Dieu.

Les anges chantaient leur joie pendant que les disciples se prosternaient pour l'adorer.

A cet instant, ils ne réalisaient pas que leurs aventures ne faisaient que commencer !

Actes 1, 2, 3, 4, 5 ; Ephésiens 3 : 5

L'AVENTURE COMMENCE

L'ATTENTE SEMBLAIT LONGUE. Les disciples étaient tous entassés dans la petite chambre de l'étage, effrayés par les prêtres et se sentant seuls sans Jésus. Cependant, lisant les vieux livres de la Bible, leur excitation grandit, constatant comment Dieu avait travaillé à son projet divin dès le tout premier instant.

Puis, tôt le matin, alors que tous ceux qui avaient aimé Jésus étaient rassemblés dans la chambre pour prier, il se passa quelque chose d'extraordinaire. Un bruit de grande tempête emplit la pièce et des langues de feu semblèrent danser au-dessus des têtes. Dieu lui-même, par son Esprit, entrait dans chacun d'eux, et les rendait forts et courageux.

Ils ouvrirent les portes verrouillées et se précipitèrent dans la rue. Jérusalem était pleine de voyageurs venus à la fête, et bientôt ils s'assemblèrent en foule autour des disciples pour entendre leur histoire.

Vous vous rappelez tous de Jésus de Nazareth et des choses merveilleuses qu'il fit, scanda Pierre. *Vous l'avez fait crucifier, mais* **Dieu l'a ressuscité des morts, parce qu'il est réellement le Fils de Dieu et le Messie que nous attendions !**

En écoutant Pierre, tous pouvaient le comprendre dans leur propre langue ; des centaines crurent en Jésus et devinrent ses disciples ce jour-là. Bientôt, tous passèrent de plus en plus de temps à l'écoute des disciples qui racontaient l'histoire de Jésus.

Un jour, alors que Pierre et Jean se pressaient de se rendre au Temple, un mendiant infirme attrapa Pierre par son manteau : *Une petite pièce, par pitié, seigneur !*

Avec compassion, Pierre le regarda et lui dit : *Je n'ai pas d'argent, mais ce que j'ai, tu peux l'avoir ; au nom de Jésus, lève-toi..*

L'homme, qui avait une quarantaine d'années, n'avait jamais marché de sa vie. Cependant, il tendit la main à Pierre et se mit debout. Brusquement, il se mit à danser, fou d'excitation. Il fut rapidement entouré d'une foule de curieux, qui le regardait avec émerveillement.

Ce n'est pas moi qui ai guéri cet homme, expliqua Pierre en souriant. *Il a été guéri par la puissance de Jésus de Nazareth !*

Alors, davantage de gens encore firent de Jésus le roi de leur vie, mais à ce moment, un groupe de prêtres furieux arriva et se fraya un passage jusqu'au centre de la foule. Ils ordonnèrent à la police qui les suivaient : *Mettez ces fauteurs de troubles en prison !*

Le lendemain matin, Caïphe, le grand prêtre, laissa partir les deux disciples après leur avoir ordonné de ne plus mentionner le nom de Jésus. Pierre souriait car il savait qu'il ne pourrait jamais tenir cette promesse.

Il y eut bientôt tant de nouveaux disciples à Jérusalem, que l'on pouvait à peine les compter, et encore une fois, les prêtres firent jeter en prison les chefs des Douze (que l'on appelait maintenant les apôtres).

Les prêtres pensaient que les choses allaient se calmer, mais dans la nuit, des anges libérèrent les apôtres qui avaient été mis en prison. Lorsque, au matin, la police ouvrit la porte de la prison, la cellule était vide.

Ils se sont échappés, mais comment ? dirent-ils aux prêtres. De son côté, Caïphe était désarçonné : *Non, ce n'est pas possible ! Voilà qu'ils sont déjà dans le Temple, en train de prêcher !*

Le conseil des prêtres, le Sanhédrin, était très embarrassé : *Comment pouvons-nous mettre un terme à cette terrible affaire ?* Caïphe fit une horrible proposition : *Nous allons les faire fouetter si durement, qu'ils n'oseront même pas penser à Jésus !*

C'est ce qu'ils essayèrent de faire, mais les disciples, qui avaient Jésus dans leur cœur, n'avaient plus peur de rien.

Actes 6 : 7 ; 9 : 1-10

L'HOMME QUI DETESTAIT JESUS

LE GRAND PRÊTRE était fou furieux : *Il faut arrêter ces gens !* Tous les hommes importants de Jérusalem avaient été convoqués chez lui pour une réunion spéciale et ils écoutaient Caïphe avec attention : *Les choses deviennent sérieuses ! Des centaines de gens pensent que ce Jésus est réellement le Messie de Dieu ; ils pensent même qu'il vit en eux !*

Leurs chefs font le même genre de miracles que ce Jésus, ajouta un autre prêtre. *J'ai arrêté l'un d'entre eux, Etienne ! Il est là dehors.*

Etienne n'avait jamais fait qu'aider et aimer les autres, aussi les prêtres avaient-ils dû inventer des mensonges pour pouvoir l'arrêter. Un jeune Pharisien, nommé Saul, se tenait là et écoutait. Il croyait en ces mensonges et sa rage était telle que ses dents grinçaient. Puis, Etienne leva les yeux et s'exclama : *Je vois droit dans le ciel, et Jésus s'y tient à côté de Dieu.* Tous, dans la petite pièce, bondirent sur leurs pieds en criant de rage.

Comment Jésus peut-il être l'égal de Dieu ? s'indigna Saul avec colère, pendant que l'on emmenait Etienne hors de la ville pour y être lapidé.

Surveille nos manteaux, Saul ! ordonnèrent les Juifs et bientôt, de toutes les directions, des pierres pointues furent lancées sur le pauvre Etienne.

Etienne ne voyait autour de lui que des visages remplis de haine, mais il se rappela que Jésus avait dit qu'il fallait aimer ses ennemis. Aussi, alors que les pierres cruelles frappaient sa tête, il pria : *Seigneur, pardonne-leur ces méchancetés. Ils se trompent et ne le savent même pas !*

Voyant l'audace des disciples de Jésus, Saul décida qu'il consacrerait sa vie à les pourchasser et à les détruire.

Dès ce jour, des choses terribles commencèrent à se produire à Jérusalem. Saul parcourait la ville avec des soldats, recherchant dans chaque maison les hommes, les femmes et même les enfants qui disaient aimer Jésus.

Il les faisait fouetter, mettre en prison, ou parfois il les exécutait. Il pensait être très fort et efficace pour l'œuvre de Dieu.

A cause de cela, les disciples s'enfuirent de Jérusalem, se dispersèrent dans tout le pays et là, ils parlaient de Jésus. Rapidement, des milliers d'autres personnes crurent en lui.

Tu rends les choses plus difficiles, Saul ! grommela Caïphe. *J'ai entendu dire qu'il y a des centaines de chrétiens installés à Damas maintenant.*

Alors, j'irai là-bas, et je les ramènerai enchaînés ! gronda Saul.

A Damas, les disciples furent terrifiés lorsqu'ils apprirent que Saul allait venir. L'un des responsables, Ananias, encouragea son groupe : **Nous ne pouvons plus voir Jésus, mais nous pouvons toujours lui parler et lui demander de l'aide.** *Prions, mes frères !*

Saul marchait le long de la route, ruminant des menaces à chaque pas. Il apercevait Damas au loin, quand soudain, une lumière éblouissante le jeta à terre. Une voix terrifiante se fit entendre : *Saul, pourquoi me hais-tu de la sorte ?*

Etendu dans la poussière sans savoir ce qui se passait, Saul demanda : *Mais qui es-tu Seigneur ?*

La réponse le cloua sur place : *Je suis Jésus, celui que tu cherches à combattre.*

Les soldats de Saul s'empressèrent d'aider leur chef, mais comme Saul se relevait, ils découvrirent avec stupeur qu'il était aveugle.

Les disciples de Damas furent très étonnés lorsqu'ils virent que l'homme dont ils avaient si peur, entrait dans la ville, guidé par la main comme un petit enfant inoffensif.

Actes 9 : 10-31 ; 12 : 1-19

L'INCROYABLE LIBERATION

ANANIAS ÉTAIT UN VIEIL HOMME et il ne voulait pas aller en prison. Comme les autres disciples à Damas, il priait très fort pour que Dieu les sauve de Saul. Tôt le matin, il entendit soudain Jésus lui dire : *Ananias, va dans la rue droite ; j'ai promis à un homme là-bas, appelé Saul, que tu allais venir soigner ses yeux.*

Ananias n'en croyait pas ses oreilles. Quoi, l'ennemi le plus redouté ? Il s'exclama : *Seigneur, j'ai trop peur de cet homme pour aller me présenter à lui !*

Mais la voix de Jésus se fit pressante : *Va, parce que je l'ai choisi pour dire au monde qui je suis.*

Saul était agenouillé dans une pièce sombre. Il n'avait rien mangé depuis trois jours, car il suppliait Dieu de lui pardonner. Lorsque Ananias toucha ses yeux, il put voir de nouveau. Ensuite, le vieil homme l'emmena rencontrer les autres amis de Jésus. Tous furent très étonnés de cette nouvelle.

Saul était maintenant très différent depuis sa rencontre avec Jésus sur la route de Damas. Il changea même son nom et devint Paul.

Rapidement, c'est lui qui enseigna aux Juifs de Damas que Jésus était leur Messie. Mais ses auditeurs le menacèrent : *Il faut tuer ce mauvais homme ! Il trahit Caïphe et le Temple.*

Les amis d'Ananias informèrent Paul : *Les Juifs gardent les portes, mais cette nuit, nous te cacherons dans un panier et te ferons glisser par-dessus les remparts à l'aide d'une corde. Tu dois quitter Damas !*

Paul s'enfuit dans la nuit, mais lorsqu'il arriva à Jérusalem, il eut une mauvaise surprise. Les apôtres hésitèrent à le rencontrer. Ils étaient encore terrifiés par le souvenir des mauvais traitements infligés aux chrétiens ! Pierre pensait même qu'il s'agissait d'une ruse pour les prendre.

Pauvre Paul ! Il était désespérément seul. Ses anciens amis étaient en colère contre lui, et ceux qui suivaient Jésus ne lui faisaient pas confiance. Mais Barnabas, un disciple plein de bonté, crut enfin son histoire et l'amena à Pierre.

Saul prêcha bientôt dans tout Jérusalem et aida de nombreuses personnes à connaître Jésus.

C'est alors qu'un nouveau drame arriva. Le roi Hérode arrêta Pierre et fit mille recommandations aux soldats : *Gardez bien cet homme, il est dangereux ! Demain, il mourra.*

Les disciples étaient désespérés. Jésus avait dit à Pierre de prendre soin d'eux. Comment allaient-ils faire sans lui ? Ils décidèrent de passer la nuit à prier, entassés dans la maison de la maman de Marc. Par contre, dans sa cellule, Pierre n'était pas inquiet. Il savait que Jésus était mort afin qu'il puisse aller au ciel, aussi s'installa-t-il pour dormir, enchaîné à ses gardiens.

Soudain, quelqu'un le secoua et il s'éveilla : le cachot était rempli de lumière. *Habille-toi vite !* disait un ange. Avant qu'il mesure ce qui se passait, les chaînes étaient tombées de ses mains et de ses pieds. Pierre se demanda s'il rêvait et il n'avait pas envie de se réveiller. Comme un somnambule, il suivit l'ange entre les rangées de soldats immobiles. Lorsqu'il sentit l'air froid de la nuit sur son visage, il réalisa qu'il était hors de la prison. L'ange était parti, et Pierre se retrouva seul dans la rue.

Il courut comme un fou jusqu'à la maison de Marc et tambourina à la porte. A l'intérieur, ses amis étaient trop occupés à prier pour prêter attention à tout ce bruit.

Enfin, Rhoda, la petite servante, passa la tête à la fenêtre. Elle fut si surprise qu'elle retourna en courant à la réunion de prière : *Pierre est dehors !*

Tous furent fâchés de ce qu'elle troublait la prière : *Tais-toi ! Comment cela se peut-il ?* Cependant, ils entendaient bien, maintenant, que quelqu'un frappait à la porte. Lorsqu'on lui ouvrit et qu'ils le reconnurent, ils eurent du mal à y croire ! Pourtant, **Dieu avait répondu à leurs prières**.

Actes 8 : 4-6 ; 26-40

L'HOMME VENU D'AFRIQUE

L'IMPÉRATRICE D'ETHIOPIE était assise sur son trône, l'air triste : *Chancelier ! Tu dois aller à Jérusalem te renseigner sur le Dieu des Juifs.*

Le chancelier hésita : *Mais Majesté, Jérusalem est loin de l'Afrique ! C'est de l'autre côté du grand désert !*

D'un ton qui n'acceptait plus de remarques, la reine décida : *Tu auras des soldats pour te protéger et mon meilleur char. Pars immédiatement !*

Lorsque le chancelier d'Ethiopie arriva enfin à Jérusalem, il alla droit au Temple. Il posa beaucoup de questions, mais les réponses ne firent que l'embarrasser. Il se dit : *Ces Pharisiens ne connaissent rien de Dieu ! Venir ici fut une perte de temps.*

Il s'acheta cependant un livre pour le long voyage de retour, et grimpa tristement dans son char.

Philippe, l'un des douze apôtres, avait quitté Jérusalem pour une ville de Samarie. Dès qu'il commença à parler aux gens de Jésus, des centaines de personnes vinrent l'écouter chaque jour. Alors qu'il priait et remerciait le Seigneur du succès de son message, Dieu ordonna à Philippe de partir sur-le-champ : *Va dans le désert ! J'ai une mission pour toi.*

A peine revenu de sa surprise, Philippe se trouva transporté dans le désert, sur une route qui conduisait en Afrique. Il ne voyait rien, sauf du sable à perte de vue. *J'ai laissé derrière moi des milliers d'amis en Samarie, ma femme et mes filles ! Je ne comprends pas ce que je dois faire ici !*

A cet instant, il remarqua au loin un nuage de poussière. Les chars et les chevaux du chancelier d'Ethiopie approchaient.

Dieu souffla à l'oreille de Philippe de s'approcher du convoi.

Le chancelier était tellement pris par sa lecture qu'il ne vit pas Philippe arriver à sa hauteur. Le livre avait été écrit par le prophète Esaïe, des centaines d'années auparavant. Les mots étaient tout à fait déconcertants pour le chancelier.

Comprends-tu ce que tu lis ? osa demander Philippe, depuis le chemin couvert de poussière.

Sans s'étonner d'être ainsi interrompu, l'Ethiopien répondit : *Comment le pourrais-je ? Il n'y a personne pour me l'expliquer. Mais toi qui sembles être Juif, peut-être peux-tu m'aider ! Viens, monte à mes côtés. Maintenant, dis-moi qui est cet homme qui a été puni à ma place ? Brisé et frappé pour que je sois libre ?*

Installé dans le char, Philippe rayonnait de bonheur. Il savait maintenant pourquoi Dieu l'avait conduit ici. Avec enthousiasme, il répondit : *Il s'agit de quelqu'un que je connais bien : Jésus !*

Philippe entreprit, tout en roulant dans le désert, de raconter à l'Ethiopien toute l'histoire de Dieu telle qu'il l'a connaissait.

Plus le récit devenait précis, plus le chancelier sentait monter en lui une joie nouvelle. Enfin, on lui parlait du vrai Dieu et de son plan d'Amour. C'est alors que le cortège arriva aux abords d'une oasis. L'Ethiopien, ému aux larmes, demanda à Philippe : *Pourrais-je être baptisé et montrer ainsi que mes péchés sont enlevés et que* **je crois au Seigneur Jésus** *?*

Comme il sortait de l'eau, son visage resplendit de bonheur et il dit : *Maintenant, je peux rentrer en Afrique et annoncer à ma reine et à tout le peuple cette bonne nouvelle !*

Actes 14 : 1-20 ; 22 : 17-21 ; Ephésiens 3 : 6-12

A TOUTE LA TERRE

ON LUI LANÇAIT des briques et des pierres. Paul esquiva d'un côté, puis de l'autre, mais il savait que cela ne servait à rien ; les gens de Lystre étaient décidés à le tuer et finiraient par l'atteindre.

Comme il s'écroulait à terre, il se rappela Etienne, et la façon dont il avait assisté à sa lapidation. Il pensa : *Dans un instant, je serai au ciel avec lui !*

Quand il était à Jérusalem, Dieu avait parlé à Paul et lui avait révélé une nouvelle partie de son programme. Dieu aimait chaque personne sur la terre, pas seulement les Juifs. Il avait envoyé Jésus pour montrer qui il était, et pour mourir afin que tous puissent aller au ciel. Puis, il avait confié à Paul : *Je veux que tu voyages dans le monde entier pour dire à chacun cette bonne nouvelle !*

Et c'est pourquoi, Barnabas et lui se trouvaient sur les chemins.

Lorsqu'ils arrivaient dans une ville, ils commençaient toujours par demander s'il y avait là des Juifs. Si les Juifs ne croyaient pas à la venue de leur Messie, alors Paul allait dans les rues et disait : **Dieu aime tous les peuples de la Terre** *; vous les Romains, les Grecs, les Africains et les Indiens, autant qu'il nous aime, nous les Juifs.*

Cela rendait les Juifs furieux parce qu'ils disaient que Dieu ne pouvait que les aimer eux, le peuple choisi. Les Juifs d'Ephèse avaient chassé Paul et son ami pour cette raison.

La première personne que Paul et Barnabas virent, lorsqu'ils arrivèrent dans la ville suivante, fut un mendiant infirme qui se traînait sur la place du marché.

Apostrophant la foule, Paul déclara : *Gens de Lystre, nous sommes ici pour vous parler de quelqu'un appelé Jésus. Il peut vous guérir, comme il va guérir ce mendiant infirme qui n'a jamais marché de sa vie. Voyez !*

Lorsque le pauvre homme sauta sur ses pieds, les gens de la ville en restèrent bouche bée. Ils se mirent à hurler : *Ces hommes doivent être des dieux descendus du ciel !*

Dans ce pays, on croyait en des centaines de faux dieux, et non loin de là, il y avait un grand temple dédié à Zeus. Paul et Barnabas furent horrifiés lorsqu'ils virent les portes s'ouvrir et les prêtres sortir avec leurs danseuses. Ils venaient pour décorer les deux apôtres de guirlandes de fleurs.

Les gens, excités, dirent : *Nous allons vous offrir en sacrifices nos meilleurs taureaux. Vous êtes nos dieux ! Gloire à Zeus !*

Paul et Barnabas furent abasourdis. Ils se mirent à se défendre : *Non, non ! Nous sommes des hommes ordinaires, tout comme vous. Vous ne devez pas vous agenouiller devant nous. Nous sommes venus vous parler du vrai Dieu. C'est lui que vous devez adorer !*

A ce moment-là, un groupe de Juifs se précipita dans la ville. Ils avaient suivi Paul et Barnabas depuis Iconium. *Ne les écoutez pas !* crièrent-ils en se frayant un chemin à travers la foule qui les acclamait. *Ce sont des imposteurs !*

C'est alors que les gens de Lystre commencèrent à frapper à mort Paul. Lorsqu'ils crûrent l'avoir tué, les prêtres de Zeus ordonnèrent : *Jetez-le hors de la ville. Que les oiseaux dévorent son corps.*

Cette nuit-là, Barnabas découragé et quelques autres disciples de Jésus se glissèrent dehors pour enterrer Paul. Mais, comme ils soulevaient son corps ensanglanté, Paul ouvrit les yeux et leur sourit. Il n'était donc pas mort. Quel réconfort !

Bientôt, les deux amis se mirent en route pour la ville suivante, laissant à Lystre un nouveau groupe de chrétiens !

Actes 16 : 16-40

LA DISEUSE DE BONNE AVENTURE

IL Y EUT un terrible tremblement de terre dans la ville de Philippes. Paul voyagea jusqu'à la ville avec un autre de ses amis, Silas. Beaucoup de gens étaient curieux d'entendre parler de Jésus et souhaitaient savoir comment devenir chrétien.

Tout aurait été merveilleux s'il n'y avait pas eu la diseuse de bonne aventure.

Satan vivait dans cette jeune fille, tout comme l'Esprit de Dieu vivait dans ceux qui suivaient Jésus. L'ennemi de Dieu aidait la jeune fille à voir dans l'avenir, et elle pouvait dire exactement aux gens ce qui allait leur arriver.

Quelques hommes de la ville en avaient fait leur esclave, et ils étaient devenus riches

en demandant beaucoup d'argent à ceux qui voulaient connaître leur avenir.

Dès que cette pauvre fille vit Paul et Silas, l'esprit mauvais en elle en fut effrayé. Elle commença à crier et à faire un bruit terrible.

Paul en était si attristé pour elle qu'à la fin il n'y tint plus et ordonna à Satan de sortir d'elle. Alors, la jeune fille se sentit libre et heureuse pour la première fois de sa vie… mais elle ne pouvait plus prédire l'avenir.

Les hommes qui se servaient d'elle étaient si furieux qu'ils arrêtèrent Paul et Silas et les présentèrent devant le maire de la ville. Ils hurlaient presque : *Ces hommes sont la cause de problèmes dans notre ville !*

Les soldats romains, qui n'aimaient pas les fauteurs de troubles, attachèrent Paul et Silas à des poteaux de bois et les fouettèrent cruellement.

Geôlier ! crièrent ensuite les magistrats. *Gardez ces hommes en sûreté dans votre prison ; s'ils s'échappent, vous mourrez !*

Au milieu de la nuit, Paul et Silas souffraient trop pour dormir. Leurs pieds étaient pris dans des piloris, espèces de poutres percées de trous dans lesquels on serrait les membres. Leurs dos étaient meurtris et saignaient. Ils avaient faim et froid et la prison était très sombre.

Paul tenta d'encourager son ami Silas : *Nous allons chanter quelques cantiques pour louer Dieu.* Tous les autres prisonniers écoutaient, émerveillés. Quelle sorte d'hommes étaient-ils pour chanter en un tel endroit et, en plus, blessés comme ils l'étaient ?

C'est à ce moment-là que se produisit le tremblement de terre. Le fort romain commença à bouger bizarrement. Les murs en pierres craquèrent et la porte du cachot sortit de ses gonds. De plus, les chaînes tombèrent, libérant ainsi les prisonniers.

Paul et Silas étaient donc libres. Ils remarquèrent le geôlier terrifié. Ce dernier ne voulait pas être tué par les Romains pour avoir laissé échapper ses prisonniers. Il prit son épée et il la pointa contre son propre cœur.

Non, non ! cria Paul. *Ne te suicide pas ! Personne ne s'est évadé !*

Demandant de la lumière, le geôlier accourut vers Paul et Silas et se jeta à leurs pieds. Il les implora : *Seigneurs ! Que dois-je faire pour vivre éternellement ?*

Paul le rassura et lui dit simplement : **Crois en Jésus et tu seras sauvé, toi et ta famille !** .

Cette nuit-là, le geôlier et les siens devinrent chrétiens. Avec grands soins, il soigna les apôtres et leur donna à manger. Il leur offrit même des lits confortables pour finir cette nuit tourmentée.

Le lendemain, les magistrats vinrent eux-mêmes dire à Paul et Silas qu'ils étaient désolés de les avoir traités si durement. Lorsque Paul eut enseigné le petit groupe de nouveaux chrétiens, Silas et lui partirent pour une nouvelle aventure.

Actes 10 : 8-10 ; 19-41

LA DEESSE DIANE

PAUL SIFFLOTAIT JOYEUSEMENT en travaillant. Il vivait depuis deux ans dans la grande ville d'Ephèse, fabriquant des tentes et partageant sa petite maison avec ses grands amis, le médecin Luc ainsi que Gaïus et Aristarque.

Des centaines de gens se rassemblaient pour entendre Paul prêcher tous les jours à l'heure du repas, et beaucoup devenaient chrétiens. Par la fenêtre de son échoppe, Paul voyait le Temple de la déesse Diane. Des gens du monde entier venaient adorer cette idole, qu'ils croyaient tombée du ciel. *Mais maintenant,* **le Seigneur Jésus a brisé le pouvoir des faux dieux**, *de Diane et de toutes ces sorcières !* dit Paul en souriant.

A cet instant, la porte s'ouvrit d'un coup et Luc se précipita à l'intérieur : *Il y a des problèmes dans cette ville !*

Paul s'étonna de cette étrange intrusion : *Pourquoi ? Chaque jour, plus de personnes se convertissent et deviennent chrétiennes !*

Le médecin bien-aimé répliqua : *C'est pour cela qu'on peut dire qu'il y a des problèmes ! Un homme appelé Démétrius a organisé une réunion pour tous les artisans des échoppes et tous les propriétaires des hôtels. Ils disent que tu es en train de ruiner leur commerce. Tant de gens sont devenus chrétiens qu'ils ne vont plus adorer Diane et dépenser leur argent dans la ville.*

Paul comprit exactement ce que voulait dire Luc. Il confirma : *Démétrius fabrique de petites statuettes de Diane en argent et les vend fort cher. Nous gênons indirectement son commerce puisque les gens commencent à réaliser qu'il est inutile de prier une idole !*

Luc prenait la chose très au sérieux : *Ne ris pas, Paul ! Tu es en grand danger. Démétrius a convoqué la ville entière dans les arènes ; il va y faire débuter une émeute et va encourager ta mise à mort !*

La plupart des villes romaines possédaient un endroit, un peu comme un stade, où chacun venait voir des courses de chars. Des milliers d'Ephésiens s'étaient rassemblés dans celui de la ville. Paul décida : *Je dois y aller et m'expliquer devant la foule !*

Les amis de Paul tentèrent de le dissuader : *Non ! La foule te tuera. Démétrius a déjà arrêté Gaïus et Aristarque. Il les a emmenés aux arènes.*

Démétrius haranguait la foule depuis le centre des arènes : *Nous sommes tous devenus riches grâce à notre déesse Diane ! Ce Paul dit que c'est seulement une statue ; si nous ne l'arrêtons pas rapidement, nous n'aurons plus l'argent des adorateurs et de tous les touristes !*

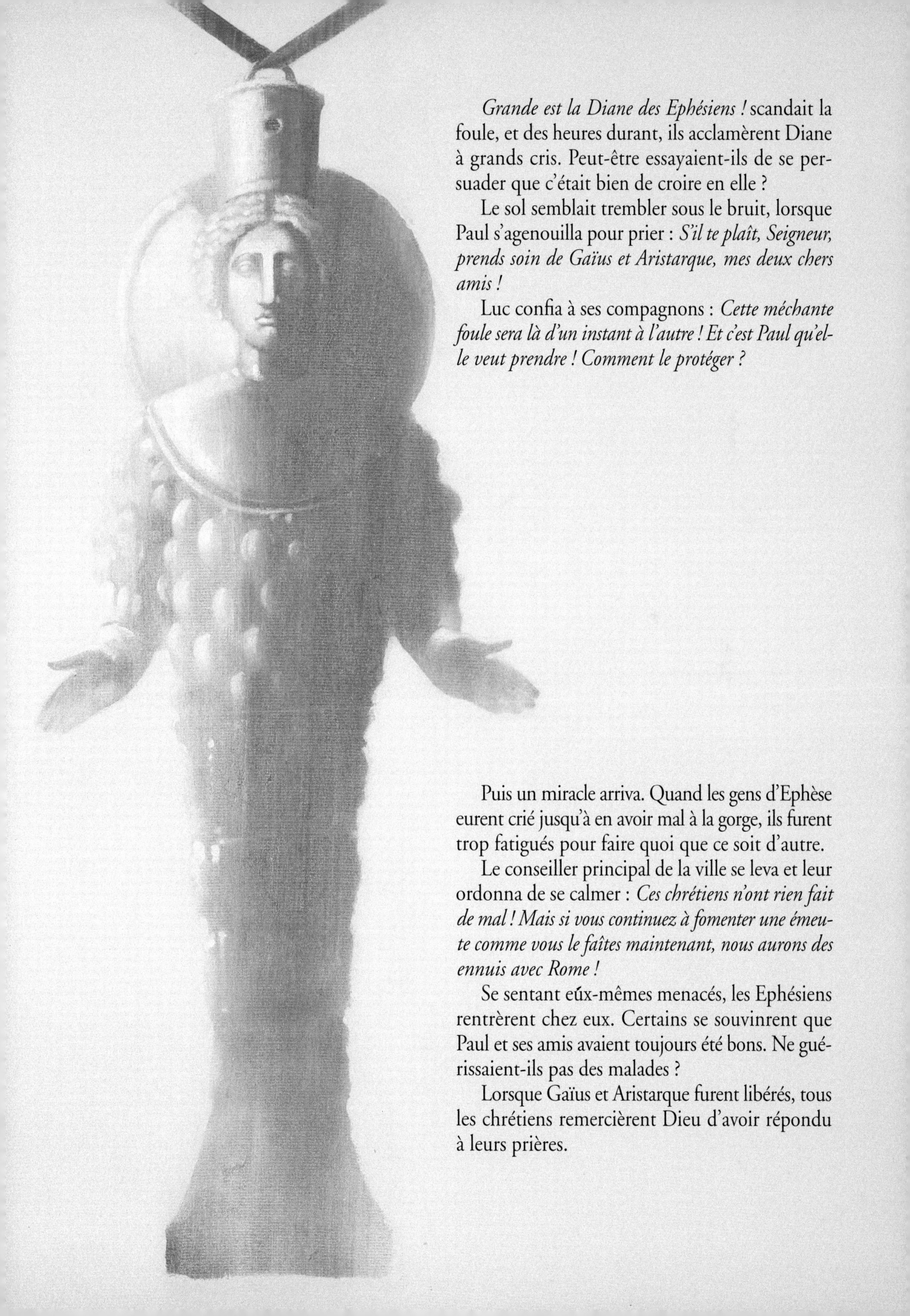

Grande est la Diane des Ephésiens ! scandait la foule, et des heures durant, ils acclamèrent Diane à grands cris. Peut-être essayaient-ils de se persuader que c'était bien de croire en elle ?

Le sol semblait trembler sous le bruit, lorsque Paul s'agenouilla pour prier : *S'il te plaît, Seigneur, prends soin de Gaïus et Aristarque, mes deux chers amis !*

Luc confia à ses compagnons : *Cette méchante foule sera là d'un instant à l'autre ! Et c'est Paul qu'elle veut prendre ! Comment le protéger ?*

Puis un miracle arriva. Quand les gens d'Ephèse eurent crié jusqu'à en avoir mal à la gorge, ils furent trop fatigués pour faire quoi que ce soit d'autre.

Le conseiller principal de la ville se leva et leur ordonna de se calmer : *Ces chrétiens n'ont rien fait de mal ! Mais si vous continuez à fomenter une émeute comme vous le faîtes maintenant, nous aurons des ennuis avec Rome !*

Se sentant eúx-mêmes menacés, les Ephésiens rentrèrent chez eux. Certains se souvinrent que Paul et ses amis avaient toujours été bons. Ne guérissaient-ils pas des malades ?

Lorsque Gaïus et Aristarque furent libérés, tous les chrétiens remercièrent Dieu d'avoir répondu à leurs prières.

Actes 21-28

LE NAUFRAGE

PAUL AVAIT VOYAGÉ DANS LE MONDE ENTIER pendant de nombreuses années, enseignant à des milliers de personnes tout ce qu'il savait du Seigneur Jésus.

Il était maintenant de retour à Jérusalem pour raconter aux apôtres toutes ses aventures. Cela rendait les Juifs furieux. Ils haïssaient Paul parce qu'il disait que Dieu aimait tout le monde... et pas seulement les Juifs.

Bientôt, il y eut un attroupement de personnes en colère autour de Paul, à l'intérieur même du Temple. *Comment cet homme ose-t-il venir ici ?* tonna le grand prêtre. Dès lors, des hommes essayèrent de le frapper pour le faire mourir. Les soldats Romains se précipitèrent pour rétablir l'ordre et se saisirent de Paul pour le mettre en sécurité.

L'apôtre demeura deux ans en prison et les Romains reconnurent : *Cet homme n'est pas dangereux ! Il a passé son temps à écrire des lettres adressées à tous les groupes de chrétiens ou aux églises qu'il a fondées dans le monde. Et ces lettres sont inoffensives pour l'ordre public !*

Mais les Juifs insistaient : *Nous voulons qu'il meure !*

Paul, interrogé par les représentants de l'autorité romaine, annonça qu'étant lui-même citoyen romain, il souhaitait être jugé par les tribunaux de Rome. *Nous verrons ce que notre empereur pensera de toi !* répliquèrent les Romains, et ils mirent Paul et son ami Luc dans un bateau à destination de la capitale de l'Empire.

Avec un léger sourire au coin des lèvres, Paul murmura : *J'ai toujours voulu rendre visite aux chrétiens de Rome ! Voilà l'occasion rêvée !* Luc ne l'écoutait pas ; il était trop occupé à écrire un livre sur Jésus. Ce serait un évangile complet avec des recherches historiques sérieuses.

Un jour, ils arrivèrent dans un port de l'île de Chypre. L'officier romain qui avait la garde de tous les prisonniers sur le bateau, parlait au capitaine : *Peut-être serait-il plus prudent de rester ici pour l'hiver !*

Non ! répliqua le capitaine. *Nous devons reprendre notre navigation !*

Excusez-moi ! Les deux hommes se tournèrent pour fixer Paul. L'apôtre venait donner son avis : *Nous devrions rester ici ! Dieu m'a dit que des vents terribles vont détruire le bateau si nous continuons !*

Mais on n'écouta pas ce simple prisonnier, et le bâteau reprit rapidement la mer.

Pourtant, on aurait dû écouter Paul. En effet, un ouragan terrible commença à maltraiter le bateau. De grandes vagues s'écrasaient contre les flancs du navire et un éclair toucha le mât.

En ces temps-là, les marins trouvaient leur route grâce au soleil et aux étoiles, mais des nuages de pluie assombrissaient le ciel et, très vite, le capitaine n'eut plus aucune idée de l'endroit où ils se trouvaient.

Pendant des jours, ils s'efforcèrent de garder le bateau à flot, et tous étaient terrifiés, sauf les deux chrétiens. Enfin, Paul se leva et cria par-dessus le hurlement du vent : **N'ayez pas peur !** *Je suis un serviteur de Dieu et la nuit dernière, il m'a prévenu que nous serons tous sains et saufs. Maintenant, vous devez manger pour reprendre des forces, car bientôt, nous serons rejetés sur une île.*

Presque immédiatement, le bateau toucha un banc de sable. Il commença à se briser complètement. Tous sautèrent dans l'eau et, s'accrochant à des épaves de bois, ils furent poussés vers la plage.

Sur la berge, l'officier ordonna : *Faites un feu ! Nous sommes tous trempés et gelés !*

Quelques habitants de Malte, l'île où ils avaient échoué, les aidèrent à ramasser du bois, lorsqu'un serpent apparut et mordit Paul à la main. Sans s'émouvoir, Paul secoua le bras, et le serpent tomba dans le feu où il grésilla. Mais les témoins, effrayés par ce qui venait de se passer, se dirent l'un l'autre : *Il va mourir ! Son Dieu ne l'aura pas protégé très longtemps !*

Mais Paul ne ressentit aucun mal de cette morsure qui aurait pourtant dû être mortelle. Impressionné par ce nouveau miracle, les habitants de l'île voulurent tout connaître de Jésus et Paul les enseigna. Des mois plus tard, lorsque Paul reprit un bateau pour Rome, il laissait derrière lui beaucoup de nouveaux chrétiens.

Apocalypse 1, 20, 21, 22 ; Jean 3 : 16

UN PRISONNIER HEUREUX

Le vent et les vagues frappaient la petite île, mais le prisonnier du château était trop occupé à écrire pour le remarquer. Jean était maintenant un très vieil homme, mais il se rappelait très bien le jour où il avait levé les yeux de ses filets et vu Jésus pour la toute première fois. Il avait déjà écrit cette magnifique histoire concernant ces jours-là. Il s'agit de l'évangile de Jean !

Maintenant, tous les autres apôtres étaient décédés. Pierre et Paul étaient morts courageusement à Rome ; le propre frère de Jean, Jacques, avait été tué par le roi Hérode, et beaucoup d'autres étaient morts en prison parce qu'ils avaient continué à parler de Jésus.

Jean n'était ni triste, ni seul, parce qu'une chose merveilleuse lui était arrivée, en prison, un dimanche matin. Jésus était venu en personne dans sa cellule. Il n'était pas couvert de poussière, ni fatigué comme cela avait souvent été le cas dans le temps. Ses habits brillaient et ses yeux étincelaient comme du feu.

Le vieil homme fut si surpris qu'il en tomba à terre, mais la voix dont il se rappelait et qu'il aimait tant, lui dit doucement : *N'aie pas peur, Jean ! J'étais mort, mais je vis maintenant éternellement. Je vais te montrer ce qui va arriver, afin que tu l'écrives dans un livre. Ce livre remplira de joie tous ceux qui le liront.*

Alors, Jean fut autorisé à regarder le paradis de Dieu. Tout y était si beau qu'il ne trouvait pas les mots pour le décrire. *Comme ces gens ont l'air heureux !* balbutia-t-il en regardant autour de lui. Et le Seigneur lui expliqua : *Ce sont tous ceux qui ont aimé Dieu depuis le commencement du monde ! Et maintenant, ils sont éternellement heureux. Au ciel, on n'a pas à dire 'au revoir'. Les gens ne sont jamais seuls ou tristes, et la mort ne les sépare jamais de ceux qu'ils aiment. Il n'y a ni souffrance, ni maladie ici, ni obscurité pour effrayer. J'ai effacé leurs larmes pour toujours !*

Mais il y avait quelqu'un qui n'était pas heureux. Jean vit aussi Satan et tous ceux qui lui avaient obéi jetés dans un lac de feu éternel. Jésus déclara : *Jamais plus Satan ne gâchera les plans de Dieu ! Il est vaincu pour toujours.*

Jean trembla et parut plutôt effrayé, aussi Jésus lui montra un grand livre rempli de noms. *Lorsque quelqu'un décide de me suivre et demande à devenir mon disciple, son nom est écrit ici pour toujours dans le livre de vie,* expliqua Jésus. *Nul ne peut l'en effacer ; ils sont en sécurité pour toujours. Maintenant, va mettre toutes ces choses par écrit, afin que personne n'ait plus peur de mourir.*

Jean posa sa plume et sourit en se calant dans sa chaise. Quand il pensait au ciel et à toutes les

merveilleuses choses qu'il y avait vues, il ne pouvait s'empêcher de se souvenir de ce que Jésus avait dit des années auparavant : **Dieu a tant aimé le monde qu'il a donné son Fils unique, afin que tout homme qui croit en lui ne meure pas, mais qu'il ait la vie éternelle**.

Cela fut le grand plan de Dieu, son projet divin, dès le commencement du monde.

Avec un soupir heureux, Jean continua d'écrire.